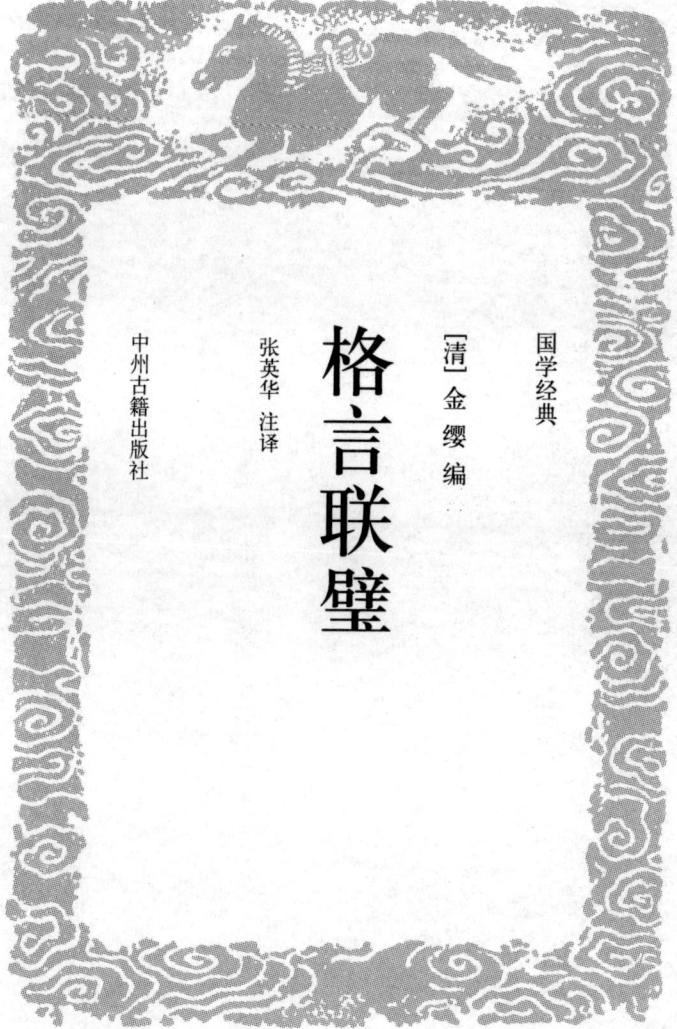

国学经典

格言联璧

[清] 金缨 编

张英华 注译

中州古籍出版社

格言联璧

前 言

中国是一个古老的文明大国,有着重德治、重教育的悠久传统。"格言"便是在漫长的生产生活实践中,人们总结提炼出来的言简意赅的至理名言。它饱含生活的智慧,富有哲理,既可以自勉,又可以勉人,既可以自警,又可以警人,极具劝诫和教育意义。

"格"和"言"两字单独出现的时间很早。"格"的本义,《说文》解释为木长貌,即指大树上的高枝直指天空、直冲云霄的样子。由此引申生发出十几种意义。仅据《尚书》的使用情况考察,至少有这么几项。一是来、至。《汤誓》:"格尔众庶,悉听朕言!非台小子,敢行称乱。有夏多罪,天命殛之!"《尧典》:"光被四表,格于上下。"二是正。《高宗肜日》:"祖己曰:'惟先格王、正厥事。'"三是感通。《说命下》:"佑我烈祖,格于皇天。"四是纠正。《冏命》:"惟予一人无良,实赖左右前后有位之士匡其不及,绳愆纠谬,格其非心,俾克绍先烈。"以上几义,均与"言"字有关。"格"字与"言"字结合,由单音词变为双音词之后,较早的见于《三国志》。其中《崔琰传》有这样一段文字:"太祖征并州,留琰傅文帝于邺。世子仍出田猎,变易服乘,志在驱逐。琰书谏曰:'盖闻盘于游田,《书》之所戒,鲁隐观鱼,《春秋》讥之,此周孔之格言,二经之明训。殷鉴夏后,《诗》称不远,子卯不乐,《礼》以为忌。此又近者得失，不可不深察也。'"晋武帝时，潘岳的《闲居赋》有这样的句子："退求己而自省，信用薄而才劣。奉周任之格言，敢陈力而就列。"李善注引《论语考比谶》："赐问曰：'格言成法，亦可以次序也。'"从该注可以窥知格言见诸谶纬之书，出自孔门，自周代开始流行。有人认为五经全是格言，皆为圣贤之所述作。如能付诸实践，不仅可以修心养性，而且可以成物济世，因此，为历代仁人志士所重。由此，我们得出这样的结论，格言的最大特点就是它含有突出的教育意义，它是可以作为行为准则、法式的言简意赅的语句。《晋书·夏侯湛传》中的"尔其专乃心，一乃听，砥砺乃性，以听我之格言"说的正是这个意思。吴玠乃是南宋初期的著名抗金将领，在陕西战场屡战屡胜，不久升任川陕宣抚使。据《宋史·吴玠传》说："玠善读史，凡往事可师者，录置座右。积久，墙牖皆格言也。"像吴玠这样珍视格言的大有人在。尤其宋代以后，重视修养、倡导保持民族气节的风气更盛，从而各种格言专著风起云涌，不断问世。如朱熹的《近思录》、吕坤的《呻吟语》、康熙皇帝的《庭训格言》、周学熙的《身世金箴》等。毫无疑问，先人们在长期社会实践中总结出来的这些带有经验性的格言，以及历代的格言著作乃是我国古代精神文明的重要组成部分，我们在吸收精华、剔除糟粕的原则指导下，应该倍加珍视。

在众多的格言著作中，《格言联璧》乃是较为优秀的一种。作者是生活在道光和咸丰年间的金缨，又称金兰生。据他在原序中说，他在道光丙午年（1846）敬承先志，辑《几希录》续刻。工竣后，遍读先哲语录，遇有警世名言辄手录之，积久成帙，编为十类，书名为《觉觉录》。因为该书内容多，部头大，刻印资费巨急，一时难以筹集，只好将《觉觉录》中的浅近格言于咸丰元年即1851年，先行刊布。该书问世后，受到士人的好评。二十余年后，即同治十一年壬申三月（1872），周学熙将其与自己编纂的《身世金箴》一起收入《古训萃编》再次刊印。又过了60年，即到20世纪30年代，经潮阳郭辅庭重新整理，1931年再次印刷出版。当时的史学大家孟森作序说："清咸丰间，山阴金兰生先生，辑为《联璧》一书，分门采录，有条不紊。世重其书，刊刻流布，日增月盛，可知好善人有同心。因世衰道弊，陷溺益深，救世之士，益亟于提倡是书，以资警醒之用。"这是对该书的益世作用的最大肯定。郭辅庭在《序》中说："其书自咸丰初元锓板行世，迄今垂八十年，流传既久。几于家置一编，功用之广，于此可见。惜坊本刊印草率，讹夺滋多，附刻喧宾夺主，传本各异。"为弥补诸多缺憾，郭辅庭便将书架上已经校订好的《格言联璧》一书，再请高人校正，并且用正楷书写，精慎印刷、绘订，使其永远传世。我们这次注译整理，就是以这个精勘的郭辅庭本作为依据的。

《格言联璧》的内容，总体来看，基本上同四书五经一致。以儒家的修身八目即格物、致知、诚意、正心、修身、齐家、治国、平天下为旨归，并尽量使其具体化、通俗化，从而把修内和治外，即把改造主观世界同改造客观世界结合起来，最后达到治理好国家、民族，造福于天下、整个人类的目的。围绕这个主题，《格言联璧》把六百条左右的格言厘分为学问、存养、持躬（摄生附）、敦品、处事、接物、齐家、从政、惠吉、悖凶十类。全书之所以把学问类放在第一，是因为读书乃是修身、造就高尚品德的最有效的方式。因为人心充满嗜欲，而充满嗜欲的人心非常危险。它如堤中之水，一溃则不可收，危害极大。因此，节欲如防水，而只有读书才能筑起道义的大堤，使心内的欲水受到约束，不让它泛滥。所以该书第一条格言便是："古今来许多世家，无非积德；天地间第一人品，还是读书。"至于读什么书，如何读书，书中也说得很清楚。如"先读经，后读史，则论事不谬于圣贤；既读史，复读经，则观书不徒为章句。""读经传则根底厚，看史鉴则议论伟；观云物则眼界宽，去嗜欲则胸怀净。"等等。

这些格言是见地极深的，至今仍能给人们以智慧性的启迪。

以下存养、持躬（摄生附）、敦品三类，都属于修身的内功，是儒家修身八目中的格物、致知、诚意、正心的具体化。存养的关键，正如孟子所说的"养心莫善于寡欲"。因为寡欲可以减少或杜绝外界的诱惑，增强制约自身欲念的信心。只有这样，才能做到把心放正。本书所说的"怒是猛虎，欲是深渊"、"忿如火，不遏则燎原；欲如水，不遏则滔天"都是这个道理。只有做到清心寡欲，才能做到"大其心，容天下之物；虚其心，受天下之善；平其心，论天下之事……"

持躬类讲的是如何躬行道心、天理，怎样做人以及做一个什么样的人的问题。本卷的第一条就是："聪明睿知，守之以愚。功被天下，守之以让。勇力振世，守之以怯。富有四海，守之以谦。"它谆谆告诫人们，做人，就要做这样一个顶天立地的人。这样的人，应该具有什么样的品德呢？书中也给出了明确的标准："度量如海涵春育，应接如流水行云，操存如青天白日，威仪如丹凤祥麟，言论如敲金戛石，持身如玉洁冰清，襟抱如光风霁月，气概如乔岳泰山。"

摄生类内容包括养护躯体和修炼心性两部分。"慎风寒，节饮食，是从吾身上却病法；寡嗜欲，戒烦恼，是从吾心上却病法。"这里讲了有关身心两个方面许多应该做的和不应该做的事情，如"少思虑以养心气，寡色欲以养肾气，勿妄动以养骨气，戒嗔怒以养肝气"，"忧愁则气结，忿怒则气逆，恐惧则气陷，拘迫则气邪"等等，这些话很有哲理，值得我们细细咀嚼和品味。

敦品类是专门讲述为人应该具有高尚品格的。第一条就是："欲做精金美玉的人品，定从烈火中锻来；思立揭地掀天的事功，须向薄冰上履过。"这里所说的"精金美玉"的人品，可以涵盖孔子所说的圣人、君子、善人和有恒者四种人。圣人的人品最高，具有驾驭客观规律的才识、坚定的正确信仰、宽宏的度量、端庄的仪表和高深的学问。这种人说话，而世以为天下法；这种人行动，而世以为天下则。其代表人物有伊尹、孔子等。第二种是君子。这种人德智兼全，勤学行道，不计较个人名利地位，平时谨言慎行，以孝悌忠信作为自己立身之本。其代表人物是伯夷和叔齐。第三种是善人。这种人反对恶而提倡善。因缺乏完善的自身力量，未能获得重大成就，然而却是世上不可缺少的好人。由于缺乏锲而不舍的毅力，未能进入圣人精微深奥的畛域。其代表人物是乐正子和柳下惠。第四种人为有恒者。这种人的特点是有恒心，做事有始有终，不屈不挠，坚持到底，很值得人们尊敬。无论是圣人、君子，还是善人，在他们修养完善人格的过程中，恒心乃是其必须具备的共同品质。因此，孔子把见到有恒者当做一件幸事而加以赞美。

处事、接物两类是教人如何处世、如何待人的有关礼节和知识的。作为社会群体中的每一个具体的人都不是孤立的，所以怎么待人处世也是一门应用价值极高的学问。儒家主张待人应从仁爱之心出发，努力做到忠恕，奉行"己所不欲，勿施于人"的原则，最后达到"立己立人，达己达人"的目的。本书收录的此类格言就充分体现了孔子、孟子处理人与人之间关系的这一崇高宗旨。"事属暧昧，要思回护他，著不得一点攻讦的念头；人属寒微，要思矜礼他，著不得一毫傲睨的气象。"意思在告诫人们，当处理别人过失的时候，当事情还没有搞清楚，或者是属于别人个人隐私时，应该想的是如何保护他，不应该有一点对他攻击或揭发的念头。对待贫穷地位低下的人，首先想到的是如何尊重他，待之以礼，不能表现出一点点看不起人的傲慢情绪。谈到对己严，对人宽时说："待己当从无过中求有过，非独进德，亦且免患；待人当于有过中求无过，非但存厚，亦且解怨。"关于如何对待小人和君子的问题，说得不仅客观公正而且入情入理："小人亦有好处，不可恶其人，并没其是；君子亦有过差，不可好其人，并饰其非。"这些格言不仅用语浅近，而且观点辩证，实行起来也很容易。

齐家、从政类所收格言包括了儒家修身八目中齐家、治国、平天下三目中的全部内容。在儒家看来，一个人成己之后，即开始成物开始治外，而这时首先要管理好自己的家。《大学》中所说的"治国必先齐其家"乃是中国修身过程中的基本功夫。其中的治家五本、三心是这么说的："勤俭，治家之本。和顺，齐家之本。谨慎，保家之本。诗书，起家之本。忠孝，传家之本。""以父母之心为心，天下无不友之兄弟。以祖宗之心为心，天下无不知之族人。以天地之心为心，天下无不爱之民物。"说的是如能从父母的慈爱之心，祖宗的仁爱之心，天地的博爱之心这三心出发，把勤俭、和顺、谨慎、诗书、忠孝治家五本作为宗旨，就没有治理不好的家庭。从政，包括治理好自己的国家和维护好世界和平。古人把它概括为九条，又称为治国、平天下的九经。一是修身，二是尊贤，三是亲亲，四是敬大臣，五是体群臣，六是子庶民，七是来百工，八是柔远人，九是怀诸侯。这九条字字珠玑。其中最重要的是第六条，即子庶民。即对待百姓，要像对待自己的子女一样慈爱。"眼前百姓即儿孙，莫谓百姓可欺，且留下儿孙地步；堂上一官称父母，漫道一官好做，还尽些父母恩情。"其他诸如"居官廉，人以为百姓受福，予以为锡福于子孙者不浅也，曾见有约己裕民者，后代不昌大耶？居官浊，人以为百姓受害，予以为贻害于子孙者不浅也，曾见有瘠众肥家者，历世得久长耶？""勤能补拙，俭以养廉"，"执法如山，守身如玉"以及"利在一身勿谋也，利在天下者谋之；利在一时勿谋也，利在万世者谋之"，如此等等，至今仍有很强的现实教育价值。

惠吉、悖凶两类，讲的是人的言行举止怎样做是行善是吉祥，怎样做是作恶是灾祸，以及如何合理地趋吉避凶的内容。人人都在求福寻福，那么究竟什么是福分呢？书中列举了古人的八福，即有工夫读书、有力量济人、有著述行世、有聪明浑厚之见、无是非到耳、无疾病缠身、无尘俗撄心、无兵凶荒歉之岁。悖凶一般指恶言恶行必然导致灾祸的规律和天理。它严正地告诫人们，那种倚势欺人、恃财侮人、暗里算人、空中造谤、饱肥甘不知节、广积聚不知止，以及出薄言、做薄事、存薄心、设阴谋、积阴私、伤阴骘等种种恶言恶行，其结果不是灾及其身就是殃流后代。这类格言振聋发聩，促人警醒。

　　总之，《格言联璧》所精选收录的格言，都是值得我们珍惜的文化遗产，它的许多内容，穿越历史的时空，于今仍有巨大的现实意义。因为传统具有不可思议的惯性力量，利用它来推动有民族特色的历史车轮前进，自然会事半功倍。

张英华
2009 年 10 月

原序

　　余自道光丙午岁，敬承先志辑《几希录》续刻。工竣后，遍阅先哲语录，遇有警世名言，辄手录之，积久成帙，编为十类，曰《觉觉录》。卷帙繁多，工资艰巨，未能遽付梓人。因将《录》内整句先行刊布，名《格言联璧》，以公同好。至全《录》之刻，姑俟异日云。

咸丰元年辛亥仲夏

山阴金缨谨识

孟森序

"格言"二字,不见于经,其见于传记者,最早为三国时崔琰《谏世子丕书》有云:"周孔之格言,二经之明训。"至晋潘岳《闲居赋》:"奉周任之格言。"李善注引《论语考比谶》:"赐问曰:'格言成法,亦可以次序也。'"然则格言见谶纬之书,出自孔门,行于周代,其来盖已久矣。六经、四子,即圣人述作之格言。后世非专门学子,未能专意治经,则赖有历代先哲较为浅近之格言,足以随事醒世。其有功于世道人心者甚大。

清咸丰间,山阴金兰生先生,辑为《联璧》一书,分门采录,有条不紊。世重其书,刊刻流布,日增月盛,可知好善人有同心。因世衰道弊,陷溺益深,救世之士,益亟于提倡是书,以资警醒之用。顾传本既多,各家之本,字句不无略有异同,校其意义,互有长短。潮阳郭君辅庭,知是书大有益于救世,爰取各本悉心校雠,从其最长,勒为定本,又惩刻工潦草、不足动人爱玩之意,倩名手仿宋精刊精印,使通人雅士亦足资为席上之珍。此诚善与人同,多方诱掖之盛心也。

余尝思精理名言,足以发人深省,启人神悟,更有较辑近代格言,高其品格者,意欲集《说苑》、《新序》、韩非之《内外储说》、淮南之《说山说林训》、《吕览》之以人事标题各篇中事实，分门别类，撰为一书。能更遍搜诸子之文，以附益之更善，不能，则以上数书，亦足以穷心理之变化，析事理之毫芒，而为六经以外格言之最高尚者矣。人事卒卒，此愿未遂。郭君以所刻《格言联璧》嘱序，伸其余意如此。

庚午八月

孟森谨叙

郭辅庭序

右《格言联璧》，山阴金兰生氏缨选录所辑《觉觉录》中浅近格言，别刻单行之本也。书分十类，不外诚正、修齐、立身、处世之常。近取远譬，义显词明，皆古来士夫学人，克己功深、阅世有得之言，字字从躬行实践中来。故与其他传先语录，义理高深，非人人所能诵习者，为用迥殊。余置之案头，奉为座右铭者，数十年于兹矣。裨益身心，良非浅鲜。

其书自咸丰初元锓板行世，迄今垂八十年，流传既久。几于家置一编，功用之广，于此可见。惜坊本刊印草率，讹夺滋多，附刻喧宾夺主，传本各异。就余所见，格言之后有附《文昌帝君劝孝文》等五种者，有附三圣经及劝诫铭文，而乩训药方又复杂出前后者，以道家经文附传家语类以传私。窃以为未善也。向已别求明《圣经注解》、《阴骘文图证》、《太上感应篇集传》三种善本校刻之，使各自为书。仍取插架旧所校定《格言联璧》一书，就正通人，复加雠勘，端楷书写，重付精刊，以永其传焉。

武进董授经先生谓金氏此辑，一以修己、行仁、省躬、察物为归，与宋赵善璙《自警编》类目相近，而精炼过之，而以附刊过多为病。今析所旧附道经，删其铭训歌诀，庶几登诸著录，不伤芜杂，卓然成一家之言云。

辛未孟陬之月
潮阳郭泰棣辅庭氏识于双百鹿斋

目 录

学问类 ……………………………………… 17

存养类 ……………………………………… 37

持躬类 ……………………………………… 55

摄生（附）………………………………… 100

敦品类 ……………………………………… 109

处事类 ……………………………………… 119

接物类 ……………………………………… 133

齐家类 ……………………………………… 168

从政类 ……………………………………… 183

惠吉类 ……………………………………… 207

悖凶类 ……………………………………… 232

学问类

古今来许多世家①，无非积德；
天地间第一人品，还是读书。

[原注]

传家久远，总不外"读书积德"四字。若纷纷势利，真如烟花过眼，须臾变灭。古联云：树德承鸿业，传经裕燕贻。又云：树德箕裘惟孝友，传家彝鼎在诗书。又云：天庥静迓惟为善，祖泽长延在读书。又云：欲高门第须为善，要好儿孙必读书。又云：立品定须成白璧，读书何止到青云。皆格言也。

[注释]

①世家：指那些世世代代做官、门第高贵的人家。《孟子·滕文公下》："仲子，齐之世家也。"刘知几《史通·世家》："案世家之为义也，岂不以开国承家，世代相续？"

[译文]

从古至今，天下所谓的名门世家，没有不是靠善行的积累而兴家的；世界上最高尚的人，还是应该把读书做官放在第一。

读书即未成名，究竟人高品雅；
修德不期获报，自然梦稳心安。

[原注]

不因果报方修德，岂为功名始读书！

[译文]

读书即使没有达到成名成家的高度,然而毕竟能使人地位高贵,品德清雅;修养德行是为了全心全意做善事,根本没有想过将来能得到什么回报,这样,就能做到心胸坦荡,梦稳心安。

为善最乐,读书更佳。

[原注]

茅鹿门云:人生在世,多行救济事,则彼之感我,中怀倾倒,浸入肝脾。何幸而得人心如此哉!此事之最乐而莫可加者也。若徒求诸几席之丰,堂构之美,润屋润身,相去殆有天壤之别矣。

张扬园云:人第见近世游庠序者,至于饥寒;衣冠之子,多有败行,遂以归咎读书。不知末世之习,攻浮文以资进取,未尝知读圣贤之书。是以失意斯滥,得意斯淫,为里俗所羞称尔,安可因噎而废食乎?试思子孙既不读书,则不知义理;一传再传,蚩蚩蠢蠢,有亲不知事,有身不知修,有子不知教。愚者安于固陋,黠者习为巧诈,循是以往,虽违禽兽不远,勿耻也。然则诗书之业,可不竭力世守哉!

[译文]

人做善事是最快乐的,若能读好书就会更好。

诸君到此何为?岂徒学问文章,
擅一艺微长,便算读书种子?
在我所求亦恕,不过子臣弟友,
尽五伦①本分,共成名教②中人。

[原注]

广州香山书院楹联。刘直斋云:士先器识而后文艺。若夫少时无所持养,不为事亲从兄之事,不闻礼义廉耻之说,但为无限浮伪之文,骤登青云之路,其不蔑弃君亲、草菅人命者,鲜矣。

[注释]

①五伦：指君臣、父子、夫妇、兄弟、朋友五种人伦关系。《孟子·滕文公上》："使契为司徒，教以人伦：父子有亲，君臣有义，夫妇有别，长幼有序，朋友有信。"②名教：以正名定分为主的古代礼教。《世说新语·德行》："欲以天下名教是非为己任。"《晋书·乐广传》："广闻而笑曰：名教内自有乐地，何必乃尔！"

[译文]

诸君到这里来做什么呢？难道只是为了求取学问，学写文章吗？如果只是在学问或写作上有一点特长，就能算做真正的读书人吗？在我看来，所要求的"恕"，也就是各自尽自己的父子、君臣、夫妇、长幼、朋友五伦本分，一起成为恪守礼教的人。

聪明用于正路，愈聪明愈好，而文学功名益成其美；
聪明用于邪路，愈聪明愈谬，而文学功名适济其奸。

[译文]

人的聪明才智如果用在干正经事上，那么聪明才智就越多越好，而文学和功名更能帮助他把美德传扬天下；人的聪明才智如果用在干坏事上，那么他的聪明才智越多，他的危害性就会越大，而文学和功名就会使他的奸诈行为更巧妙，更阴险，更具欺骗性。

战虽有阵，而勇为本。
丧虽有礼，而哀为本。
士虽有学，而行为本。

[译文]

两军作战，虽然讲求阵法巧妙，但是必须以勇气为根本；操办丧事，虽然要礼仪周全，但是必须以哀伤为根本；文人志士，虽然知识丰富，博学多闻，但是必须以道德修养和实际行为为根本。

飘风不可以调宫商①,

巧妇不可以主中馈②,

文章之士不可以治国家。

[注释]

①宫商：古人把宫、商、角、徵、羽称做五音或五声。②中馈：旧称妇女之职为主持中馈。《易·家人》："无攸遂，在中馈，贞吉。"疏云："妇人之道，巽顺为常……其所职主在于家中馈食供祭而已。"

[译文]

旋风不能调节五音宫商，智巧的女人不见得能把厨房管理好，只会写文章的人不一定能治理好国家。

经济①出自学问，经济方有本源。

心性②见之事功，心性方为圆满。

舍事功更无学问，求性道不外文章。

[注释]

①经济：经世济民，即治理国家，养护百姓。②心性：心的本性，即不变的心体为心性。

[译文]

经世济民的本领，如果是从深厚的学问中生发出来，这本领才是经世济民的本源。远大的理想抱负，只有体现在事功上，才能称得完美圆满。如果脱离了事功，即经世济民的实际，也就不可能成就什么实实在在的学问，要想实现自己的理想抱负，除了写写文章之外，别的也就无路可走了。

何谓"至行"①，曰"庸行"②。

何谓"大人"③，曰"小心"。

何以"上达"④,曰"下学"⑤。

何以"远到",曰"近思"。

[注释]

①至行:最高尚的道德行为。②庸行:一般的道德行为。③大人:品德高尚的人。④上达:争取进步,积极进取。⑤下学:即不耻下问。

[译文]

有人问:"一个人最高尚的道德行为是什么?"回答说:"使自己生活中的一言一行、一举一动能够符合道德伦理标准就行了。"有人问:"达到什么标准才是德高望重的长者?"回答说:"谦虚谨慎,遵守礼义就可以了。"有人问:"怎样才能使自己的学问有所上进?"回答说:"勤奋好学,不耻下问就可以了。"有人问:"怎样才能达到美好的境界?"回答说:"体察世间人情,从身边做起就可以了。"

竭忠尽孝,谓之人。

治国经邦,谓之学。

安危定变,谓之才。

经天纬地①,谓之文。

霁月光风,谓之度②。

万物一体,谓之仁。

[注释]

①经天纬地:织布机上纵线为经,横线为纬。经、纬合在一起为编织,后引申为治理。②度:气度,胸襟。南朝梁任昉《王文宪集序》:"有高世之度,脱落尘俗。"

[译文]

能够尽力做到忠孝的,才能无愧地称做人;能够经国安邦的政策和策略知识,才称得上是学问;能够平息叛乱稳定局势的,才能够称得上有用之才；能够编织天地自然万物的文字，才能够叫做文章；胸怀光明坦荡温和慈祥待人的，才能够叫做风度；具有万物与我一体的仁爱之心，才能够称得起仁。

以心术为本根，以伦理为桢干^①，
以学问为菑畬^②；
以文章为花萼，以事业为结实，
以书史为园林；
以歌咏为鼓吹^③，以义理为膏粱，
以著述为文绣；
以诵读为耕耘，以记问为居积，
以前言往行为师友；
以忠信笃敬为修持，以作善降祥为受用，
以乐天知命为依归。

[注释]

①桢干：原指筑墙的木柱。竖在两端的叫桢，竖在两旁的叫干。亦以喻事物之本根。《汉书·匡衡传》："朝廷者，天下之桢干也。"②菑畬（zī yú）：头年耕种的土地叫菑，已垦种三年的熟田叫畬。《尔雅·释地》："田一岁曰菑，二岁曰新田，三岁曰畬。"③鼓吹：原指鼓、钲、箫、笳合奏的乐曲，此代指音乐。

[译文]

将运用诚心认真思考当做根本，把伦理道德当做信条，把学问知识当做田地，把文章当做花朵，把事业当做果实，把书史当做园林，把歌咏当做音乐，把义理当做食物，把著述当做彩绣，把读书当做耕耘，把讨论学问当做累积资财，把古人言行当做良师益友，把恭敬笃信当做修持的主要内容，把作善降祥当做快乐享受，把乐天知命当做自己的归宿。

凛^①闲居^②以体独，卜动念以知几^③，
谨威仪以定命，
敦^④大伦以凝道^⑤，备百行以考德，
迁善改过以作圣。

[原注]

刘忠介公《人谱》六条。

[注释]

①凛：严肃、敬畏。②闲居：不问世事，闲静居坐。《礼记·大学》："小人闲居为不善。"③几：几微、先兆。《易·系辞下》："几者动之微，吉之先见者也。"④敦：即精审躬亲。《荀子·强国》："如是，则常不胜夫敦比于小事者矣。"注："敦比，精审躬亲之谓。"⑤凝道：排除各种杂念之后，把那些最好的道理凝结成规律性的理论。《礼记·中庸》："苟不至德，至道不凝焉。"

[译文]

人应该严肃注意清闲独处时的个人感受，预知每一种想法的含义，慎重处事，建立威仪，安于天命，实践人伦以体现圣人之道，把自己的各种品行检验道德的标准，及时纠正自己的各种过失与错误，一心向善，最终以成就圣贤之士的美名。

收吾本心^①在腔子里，是圣贤第一等学问；
尽吾本分在素位^②中，是圣贤第一等工夫。

[注释]

①本心：即良心。《孟子·告子上》："此之谓失其本心。"②素位：现在所任之职位。《礼记·中庸》："君子素其位而行，不愿乎其外。"

[译文]

人应该把自己的良心永远珍藏在胸腔里，永不丧失，这是圣贤必须认真探讨的第一等学问；如何忠于职守，尽心尽力做好本职工

学问类　23

作，这是圣贤应该全力投入的第一等工夫。

万理澄澈，则一心愈精而愈谨；
一心凝聚，则万理愈通而愈流。
[译文]
如能明白万物的事理，内心就会更加清楚而专一；只有把精力凝聚在一处，那么心中的万理就会像大河一样不仅更加畅通，而且能愈流愈远。

宇宙①内事，乃己分内事；
己分内事，乃宇宙内事。
[注释]
①宇宙：时间和空间的总和，包括古往今来，上下四方。《淮南子·原道训》高诱注："四方上下曰宇，古往今来曰宙。"
[译文]
把宇宙间的万事万物，当成自己分内事，那么自己的分内事，也就成了宇宙间万事万物的分内事。

身在天地后，心在天地前。
身在万物中，心在万物上。
[原注]
康节诗、白沙诗，皆超然物表，阅之作天际真人想。
[译文]
肉体，即人的身躯处在自然万物之后，但是精神，即人的心灵却处在自然万物之前。肉体身躯虽处于自然万物之中，但精神心灵却处在自然万物之上。

观天地生物气象,学圣贤克己工夫。

下手处是自强不息,成就处是至诚无息。

[原注]

陈榕门云:自强不息,即诚之之功。可见诚字乃澈上澈下道理、希贤希圣工夫。

[译文]

静心观察天地万物景象,学习古代先贤克制欲念的决心,并在实际生活中身体力行,自强不息,因为培养至诚的努力没有止境。

以圣贤之道教人易,以圣贤之道治己难。

以圣贤之道出口易,以圣贤之道躬行难。

以圣贤之道奋始易,以圣贤之道克终难。

圣贤学问是一套,行王道必本天德。

后世学问是两截,不修己只管治人。

[原注]

陈榕门云:以圣贤教人,似易实难。莫若先以圣贤治己,人将慕而化之。即不然,而己不失为圣贤路上人,所得多矣。下二段,尤关吃紧。言行不符,是为假圣贤。始终不一,又成了两截人。必要一直认真到底,方得。

陈榕门云:一言学问,治人便当修己。不修己而治人,真谓之未尝学问。

[译文]

以圣贤之道教导别人容易,以圣贤之道约束自己很难。把圣贤之道挂在嘴上说说容易,但亲自实践起来却很困难。践行圣贤之道开始容易,但是把践行圣贤之道坚持到底却很难。圣贤之道是学问与实践的统一,践行王道必须本于德性,王道与德性不能分离。后代学问与实践相分开,学习圣贤之道不进行自身修养,只管对别人进行治理。

口里伊周①，心中盗跖②，

贵人而不责己，名为挂榜圣贤；

独凛明旦，幽畏鬼神，

知人而复知天，方是有根学问。

[注释]

①伊周：古代两位圣贤。伊，指伊尹；周，指周公姬旦。②盗跖（zhí）：人名，相传春秋末期人，旧时被诬称为盗跖。依据《庄子·盗跖》记载，跖为贤人柳下惠的弟弟。跖，又写作"蹠"。

[译文]

口里说着伊尹、周公这两个人的名字，像是满腹仁义的正人君子，而内心却像盗贼，狡诈无比，不用圣贤之道约束自己，专门用来治理别人，称其为"挂榜圣贤"即冒牌圣贤还是恰当的。在白天能严肃独处，光明正大，在夜里敬畏鬼神，不做坏事，既知道人事，也明白天理，这才是有根的学问。

无根本底气节，如酒汉殴人，

醉时勇，醒来退消，无分毫气力；

无学问底识见，如庖①人炀灶②，

面前明，背后左右，无一些照顾。

[原注]

不知者赏其一时，惑其一偏，每击节叹服，信以终身。吁！难言也。气节信不过人，有出于一时之感慨，则小人能为君子之事；有出于一念之剽窃，则小人能盗君子之名。亦有初念甚力，久而屈其雅操；当危能奋，安而丧其生平者。此皆不自涵养中来。若圣贤之学问，至死更无破绽。

[注释]

①庖（páo）人：古代对厨师的称呼。《周礼·天官·庖人》："庖人，掌共六畜、六兽、六禽，辨其名物。"②炀灶：在灶前烤火，比喻遮蔽光亮。

［译文］

没有本根的气节，就如同醉汉打人，酒醉时勇气很大，酒醒后勇气消退，没有丝毫力气；没有学问的见识，就如同厨师炉灶前烤火，除了面前光亮，背后左右一片漆黑。

理以心得为精，故当沉潜①，不然，耳边口头也。
事以典故为据，故当博洽，不然，臆说杜撰也。

［注释］

①沉潜：含蕴而不露。《尚书·洪范》："沉潜刚克，高明柔克。"

［译文］

用心体会天地事物之理，才能理解精确得当，所以应当沉着稳重，否则，它们就会像耳边的风，口头的话那样一过即逝。事理应当以典故为依据，因此，学识必须广博，否则，就是主观臆断，胡乱编造。

只有一毫粗疏处，便认理不真，所以说惟精。
不然，众论淆之而必疑。
只有一毫二三心，便守理不定，所以说惟一。
不然，利害临之而必变。

［译文］

在探索知识的过程中，不允许有任何的粗疏和漏洞。哪怕只有一点点，也就不能确切地认识事理。而对事理的认识必须准确、精当，否则众论纷纭，人们就无法分清是非。

在坚守真理的过程中，不允许有任何的三心二意。哪怕只有一点点，便很难守住真理的阵地，所以要求守理也得用心专一。否则，面临利害的突然降临就会惊慌失措，甚至产生混乱，无法控制局势。

接人要和中有介①，

处事要精中有果，

认理要正中有通。

[原注]

陈榕门云：此三种是何等学识！何等作用！非浅学所可貌似。

[注释]

①介：原则、节操。《孟子·尽心上》："柳下惠不以三公易其介。"

[译文]

接待别人要平和而有原则，处理事物要精明而果断，认识事理必须正确而又灵活通变。

在古人之后，议古人之失则易；

处古人之位，为古人之事则难。

[原注]

一"恕"字尽之。恕则公，恕则厚，其理如此。

[译文]

生在古人之后，评论古人得失比较容易；处于古人位置，做古人的事情就很困难。

古之学者，得一善言，附于其身；

今之学者，得一善言，务以悦人。

[译文]

古代的读书人，如果得到一句善言，就会记在心里，并且努力在自己的言行中付诸实践；现在的读书人，如果得到一句善言，就必然用它来取悦别人。

古之君子，病^①其无能也，学之；
今之君子，耻其无能也，讳之。

[原注]

吕新吾云：学者不长进，其病根只在护短，恐人笑己之不知也。一笑之耻，而终身之笑，顾不耻乎！

[注释]

①病：原指疾病。此处引申为忧虑，担心。《论语·卫灵公》："君子病无能焉，不病人之不己知也。"

[译文]

古代的君子，担心别人耻笑自己无能，于是学习更加努力；现在的君子，对自己的无能也感到羞耻，为了不让别人知道却尽力掩盖避讳。

眼界要阔，遍历名山大川；
度量要宏，熟读五经诸史。

[译文]

要想使自己的眼界开阔，就得游遍天下的名山大川；要想具有恢宏的气度，就要熟读五经和诸史。

先读经，后读史，则论事不谬于圣贤；
既读史，复读经，则观书不徒为章句。

[译文]

先读经书，后读史书，那么说话论事就不会与圣贤的论点相背；已经读了史书，再读经书，那么就会知道读书不单单是为了寻章摘句。

读经传^①则根底厚，看史鉴则议论伟。

观云物则眼界宽，去嗜欲则胸怀净。

[注释]

①经传：经指《尚书》、《诗经》、《易经》、《礼记》、《春秋》，号称五经，后世为这些书作解释的书叫传。因经文深奥，义有难明，作传以阐明之。

[译文]

诵读经传学问就会根底深厚，熟读古代史书，议论起事情就会有宏伟气度。观览山水自然景物眼界就会开阔，抛开私欲嗜好心胸就会纯净。

一庭之内，自有至乐；
六经①以外，别无奇书。

[注释]

①六经：《诗》、《书》、《易》、《乐》、《礼》、《春秋》，合称六经。

[译文]

在一家庭院之中，自有至高无上的快乐；除了六经之外，没有其他可以读的好书。

读未见书，如得良友；
见已读书，如逢故人。

[译文]

读未曾见过的书，就好像得到很好的新朋友；看看已经读过的书，就好像遇见老朋友。

何思何虑，居心当如止水；
勿住勿忘，为学当如流水。

[译文]

思考什么，忧虑什么，心灵应该像不流动的水那样平静；不要停留，不要忘记，读书应该像奔流的水永不停息。

心不欲杂，杂则神荡而不收；
心不欲劳，劳则神疲而不入。

[原注]

用功过勤者，心力既疲，未见得手。须于诵读之余，闭目静坐，养其神气。令此心如鱼之在水，如鹤之在林，悠悠洋洋，活活泼泼，是读书之至乐也。

[译文]

心里不能杂乱，心里杂乱就会导致神情恍惚，甚至无法收拾；用心也不能太劳累，太劳累就会心神疲惫，无法记住所学。

心慎杂欲，则有余灵①；
目慎杂观，则有余明②。

[原注]

心欲其时时结聚，结聚则聪明生。

[注释]

①余灵：此处"灵"指精神。余灵，即精神没有用尽。②余明：此处"明"指目光。余明，即目光眼力没有用尽，尚有余地。

[译文]

心里严防产生私心杂念，那么精神就会更加充沛，内心更加清醒，做起事来游刃有余；观览自然，眼睛只有避开那些杂乱景象，才能使眼睛更加敏锐，从而看清楚那些重要的本质的东西。

案上不可多书，心中不可少书。
鱼离水则鳞枯，心离书则神索。

[原注]

张梦复云：读书可以增长道心，为颐养第一事。

[译文]

放在桌子上的书不要太多,记在心中的书不能太少。鱼儿离开水鱼鳞就会干枯,心中没有书人的精神就会无所寄托。

志之所趋,无远勿届,
穷山距海,不能限也。
志之所向,无坚不入,
锐兵精甲,不能御也。
[原注]

朱文公云:书不记,熟读可记;义不精,细思可精。惟有志不立,直是无著力处。只如而今贪利禄而不贪道义、要做贵人而不要做好人,皆是志不立之病。

[译文]

只要心中有远大的志向,世界上再远的地方也是能够到达的,即使千仞高山,万里大海也不能隔断。志向所要达到的地方,无坚不摧,即使精锐的军队也不能抵御。

把意念沉潜得下,何理不可得?
把志气奋发得起,何事不可做?
[原注]

今之学者,将个浮躁心观理,将个委靡心临事,只模糊过了一生。

[译文]

只要能使心灵沉静下来,还有什么事理弄不明白?只要立志奋发,还有什么事情做不成功?

不虚心,便如以水沃石,一毫进入不得;
不开悟,便如胶柱鼓瑟①,一毫转动不得。

[原注]

许鲁斋云：读书最怕是自满。惟虚故能受，满则无所容。学者当佩斯言。

陈子兼云：读书须知出入法，始当求所以入，终当求所以出。见得亲切，此是入书法；用得透脱，此是出书法。

[注释]

①胶柱鼓瑟：比喻拘泥现成，不知变通的错误行为。柱，本是转动琴弦而调节音律的。如果弹琴的人先把弦柱用胶粘死，然后再来拨弦调音，这是不可能的。

[译文]

如果没有谦虚的态度，圣贤对他的教育，就好像用水浇石头，丝毫也进不去；如果不用心去领悟，就好像用胶粘住弦柱去鼓瑟，一点也不能转动。

不体认，便如电光照物，一毫把捉不得；
不躬行，便如水行得车，陆行得舟，
一毫受用不得。

[原注]

薛文清公云：为学不是虚谈道理，须于应事接物时，随处详审体察。若泛观天下之理，而不知善处事物，究于实际何补？

高忠宪公云：学者读书，须要句句反到自己身上来看，一面思索体认，一面反躬实践，这才是读书。

[译文]

只管读书，而对书中的道理不亲身去体验识别，就好像天上的闪电照亮万物，什么也没有捕捉住；读书不去亲自实践，就好像必须在水中前行而岸上只有车，必须在陆地上行走而面前只有船，一点用处也没有。

读书贵能疑，疑乃可以启信；

读书在有渐，渐乃克底有成。

[原注]

陈白沙云：疑者，觉悟之机；知其可疑而思问焉，其悟自不远矣。若徒以为晓得，便竟住了，大无益。

吕新吾云：天地所以循环无端，积成万古者，只有四个字，曰：无息有渐。为学亦然。

[译文]

读书的可贵之处在于能提出疑问，有疑问才可以引导人们对书中所说的道理加以信任；读书要循序渐进，这样坚持到底就能有所成就。

看书求理，须令自家胸中点头；

与人谈理，须令人家胸中点头。

[原注]

老妪能解之诗，便是幼妇绝妙好词。行文而如鬼咒神谶，尔虽得意，谁为点头？

[译文]

读书要得到事理，首先必须让自己心里满意；和别人谈论事理，必须让别人心里认可才对。

爱惜精神，留他日担当宇宙；

蹉跎岁月，问何时报答君亲？

戒浩饮，浩饮伤神。

戒贪色，贪色灭神。

戒厚味，厚味昏神。

戒饱食，饱食闷神。

戒多动，多动乱神。

戒多言，多言损神。

戒多忧，多忧郁神。

戒多思，多思挠神。

戒久睡，久睡倦神。

戒久读，久读苦神。

[原注]

人之一生，只靠这精神干事，精神不旺，昏沉到底。人若调养得精神完固，不怕文字无解悟，无神气，此是举业最上乘。

朱子曰：关了门，闭了户，把截四路头，正读书时也。何谓四路头？人心纷扰，要长要短，皆是路头，须是一切断绝。养心莫善于寡欲，件件看破，都没要紧，件件寡去，寡之又寡，以至于无，则此心空明灵妙，人品自高，文章自妙，此为善读书之本。

高忠宪《杂训》曰：男儿七尺之躯，顶天立地，如何开口道个求字。《孟子》"齐人"一章，便是这个字的行状。至于读之汗颜，不可作等闲认也。就命上看人生，穷达利钝，即堕地一刻都已定下，如何增损得些子？鸡鸣夜神初醒，便须打点一日之勾当，不使闲过。于此愤然发个志气曰：吾欲云云，当作何云云。转眼青山落红日，又蹉过一日矣。

刘念台《家塾规》：士大夫当以学术为菑畲，以心术为本根，以伦理为枝干，以事业为果实，若文章则花萼也。

学贵知疑，小疑则小进，大疑则大进。疑者，觉悟之机也。一番觉悟，一番长进。

经书养人根本，史书开人才思。

进道入德，莫要于有恒。天道只是个恒。每日定准，是三百六十五度四分度之一，分毫不损不加，流行不缓不急，而万古不息，万物得所。语云：有勤心，无远道。蓼花庵训言。

[译文]

珍惜爱护自己的精神，以便担当日后的世界大任。虚度年华，浪费生命，何时才能报答君主和亲人恩德？

戒酗酒，酗酒可以伤害精神。戒贪色，贪色容易腐蚀精神。戒美食，美食容易引起精神昏聩。戒过饱，过饱容易使精神沉郁。戒多动，多动容易使精神错乱。戒多言，多言容易使精神受到损伤。戒多虑，多虑容易使精神郁结颓废。戒多思，思虑太多扰乱精神不能专一。戒久睡，久睡容易引起人的精神疲惫。戒久读，久读使人的精神过度劳苦。

存养类

性分^①不可使不足,故其取数也宜多:曰穷理,曰尽性^②,曰达天^③,曰入神,曰致广大、极高明。

情欲不可使有余,故其取数也宜少:曰谨言,曰慎行,曰约己,曰清心,曰节饮食、寡嗜欲。

[注释]

①性分:天性。唐·徐寅《蝴蝶诗》:"鸣蝉性分殊迂阔,空解三秋噪夕阳。"《新唐书·李尚隐传》:"迁广州都督、五府经略使,及还,人或袖金以赠。尚隐曰:'吾自性分不可易,非畏人知也。'"②穷理、尽性:把事物的道理和人的本性推究至尽,研究清楚。《易·说卦》:"穷理尽性以至于命。"③达天:通晓自然规律。达,即"通"。

[译文]

对人的性分素质应该充分培养,千万不能不足,因此有关的概念、方法也多。如穷理、尽性、达天、入神、达到广大以及极其高明的程度。

对人的欲望不能使其太多,因此有关的概念,除减少的方法外,其他的自然也比较少。如谨言、慎行、克己、清心、节制饮食、减少嗜好等。

大其心，容天下之物；
虚其心，受天下之善；
平其心，论天下之事；
潜其心，观天下之理；
定其心，应天下之变。

[原注]

炼心如炼金，百炼而后为真金，百炼而后为真心。

[译文]

心胸只有开阔才能容纳天下万物，做人只有虚心才能听进天下批评和好的建议，心底只有公平、公正才能讨论、评判天下事物，只有沉下心来才能观察天下事理，只有定下心来才能适应或应对自然和社会的变化。

清明以养吾之神，湛一以养吾之虑，
沉警以养吾之识，刚大以养吾之气，
果断以养吾之才，凝重以养吾之度，
宽裕以养吾之量，严冷以养吾之操。

[原注]

冯少墟云：凡人拈花弄月，寻山问水，便觉天趣盎然，而况存心养性，直达真源？上下古今，都在这里。此中乐趣，更复何如？

[译文]

用虚静明白培养自己的心灵，用精湛专一培养自己的思虑，用沉着警觉培养自己的胆识，用刚毅宏远培养自己的志气，用坚决果断培养自己的才能，用稳健庄重培养自己的风度，用宽容和厚重培养自己的气量，用苛严与不苟培养自己的节操。

自家有好处，要掩藏几分，

这是涵育以养深；
别人不好处，要掩藏几分，
这是浑厚以养大。

[译文]

自己有优点，一般不要自己来宣扬，这是培养自己深沉的涵养所需要的。别人有缺点，要多加掩饰，这是培养自己宽宏的器量不可缺少的。

以虚养心，以德养身；以仁养天下万物，以道养天下万世。

[译文]

用虚静养心，用道德养身；以仁爱养天下万物，用道统养天下万代。

涵养冲虚①，便是身世学问；
省除烦恼，何等心性安和！

[原注]

刘念台云：涵养全得一"缓"字，凡语言动作皆是。刘直斋云：存心养性，须要耐烦、耐苦、耐惊、耐怕，方得纯熟。

世人遇不如意事，动辄烦恼。而烦恼无补于事，徒自增苦。惟有耐心料理，勿更添此一番缠缚。

[注释]

①冲虚：即冲淡虚静，无所拘系。《文选·南齐王仲宝·褚渊碑文》："深识臧否，不以毁誉形言；亮采王室，每怀冲虚之道。"

[译文]

涵养虚心，便是一生用之不尽的学问。它能使人去除烦恼，心性平和。

颜子四勿①，要收入来；
闲存②工夫，制外以养中也。
孟子四端③，要扩充去；
格致④工夫，推近以暨远也。

[注释]

①四勿：指《论语·颜渊》中的："非礼勿视，非礼勿听，非礼勿言，非礼勿动。"朱熹《斋居感兴》诗："颜生躬四勿，曾子日三省。"②闲存：闲静存神。③四端：儒家称人的四种德性。《孟子·公孙丑上》："恻隐之心，仁之端也；羞恶之心，义之端也；辞让之心，礼之端也；是非之心，智之端也。人之有是四端也，犹其有四体也。"④格致：即格物致知。《礼记·大学》："致知在格物。"朱熹解释格物为穷至事物之理。

[译文]

平时，要把颜渊的"四勿"放在心里；闲静存神的工夫，就是克制外界的诱惑，以存养自己的精神。孟子的"四端"，应该扩充开去；格物致知的工夫就是先从自己做起并影响他人。

喜怒哀乐而曰未发，是从人心直溯道心①，要他存养②；
未发而曰喜怒哀乐，是从道心指出人心，要他省察。

[注释]

①道心：义理之心，即合于正义、天理之心，亦即人心的理性化。《朱子全书·尚书》："程子曰：人心，人欲也；道心，天理也。所谓人心者，是血气和合做成……道心是本来禀受的仁义礼智之心。"②存养：即存心养性。《孟子·尽心上》："存其心，养其性。"

[译文]

喜怒哀乐没有表现出来时，这是从人欲到天理的过程，要他存心养性，将人欲绳之以天理，合则存之，不合则正之、改之；没有表现的喜怒哀乐是人欲，这是从天理到人欲，要人们每日反省自察三次，合则存之，不合则正之、改之。

存养宜冲粹①,近春温;

省察宜谨严,近秋肃。

[注释]

①冲粹:虚静纯洁。

[译文]

存心养性,应当虚静纯洁,像春天一样温和;反省自察,应当慎重严厉,像秋天一样冷峻严肃。

就性情上理会,则曰涵养。

就念虑上提撕,则曰省察。

就气质上销熔,则曰克治。

[原注]

省克得静安,即是涵养;涵养得分明,即是省克。其实一也,皆不是落后著事。涵养与克治,是人心双轮。入门之始,克治力居多;进步之后,涵养力居多。及至车轻路熟时,不知是一是二。先儒每言存养省察,毕竟工夫以省察入;若不能省察,说甚存养?真文忠云:治心如治病。然省察者,切脉而知疾也;克治者,用药以去疾也;存养者,则又保护元气,以杜未形之疾者也。

[译文]

从性情角度去领悟叫做涵养,从思想方面去提醒叫做省察,从气质上去销熔叫做克治。

一动于欲,欲迷则昏;

一任乎气,气偏则戾①。

[原注]

人于初起念时,即便回心一想,其是非固自较然。非者去之,是者存之。克己工夫,即从此初念克起;行善工夫,即从此初念行起。

[注释]

①戾：乖戾，违背情理。

[译文]

如果一个人的行动是由于私欲引起，那么这个人的言行就会混乱昏庸；如果此时又意气用事，就会因看法偏激而违背情理。

人心如谷种，满腔都是生意，物欲锢之而滞矣。然而生意未尝不在也，疏之而已耳。

人心如明镜，全体浑是光明，习染薰之而暗矣。然而明体未尝不存也，拭之而已耳。

[原注]

惟有内起之贼，从意根受者不易除。加之气拘物蔽，则表里夹攻，更无生意可留，明体可睹矣，是谓丧心之人。君子倦倦于谨独以此。

[译文]

人心就像谷种一样，满腔都是生机。只因物欲禁锢了它，它才不会萌芽、生长，但是生机依然存在，只要及时疏通就能很快激活它的生命力。

人心就像明亮的镜子那样，每一个地方都会发光。只是俗世的尘土落在了上面，由于日积月累，把它逐渐变暗，但是发光的本体依然存在，只要勤于擦拭，它仍然是会变得明亮的。

果决人似忙，心中常有余闲；

因循人似闲，心中常有余忙。

[原注]

应事接物，常觉得心中有从容闲暇时，才见涵养。若应酬时劳扰，不应酬时牵挂，极是吃累的。

[译文]

果断的人处事快捷，表面上看似乎很忙，但心中因常有闲暇而感到泰然舒适；因循的人办事拖沓，表面上看似乎清闲，但心中却似一团乱麻，忙乱不堪。

寡欲故静，有主则虚。

[原注]

不为外物所动之谓静，不为外物所实之谓虚。吕新吾云：心要如天平然，任物之去来，只是静虚中正。何等自在！

[译文]

欲念少，心才能静；有主见，心才能虚。

无欲之谓圣，寡欲之谓贤，
多欲之谓凡，徇欲之谓狂。

[原注]

用力寡之，斯寡矣，其治本在敬。不用力寡之，则必至于徇，其病本在怠。周石藩云：寡欲极是难事，盖必见理亲切，将义命二字守得牢固，则心地自然明白，魂梦自然受用，而欲乃不得而入之。若心上打扫不清，则穷通得丧，当吃紧之际，未有不潜移而默夺者。此素位不愿外之所以难也。

[译文]

没有欲念的人叫做圣人，欲念极少的人叫做贤人，欲念多的人叫做凡人，放纵欲念的人叫做疯子。

人之心胸，多欲则窄，寡欲则宽。
人之心境，多欲则忙，寡欲则闲。
人之心术，多欲则险，寡欲则平。
人之心事，多欲则忧，寡欲则乐。
人之心气，多欲则馁，寡欲则刚。

[原注]

须把心头打叠干净，浑如楼阁在空中，何等潇洒自在。故孟子云：养心莫善于寡欲。

[译文]

人的心胸，欲念多就狭窄，欲念少就宽广。人的心境，欲念多就忙碌，欲念少则闲暇。人的心术，欲念多就险恶，欲念少就平和。人的心事，欲念多就忧愁，欲念少则快乐。人的心气，欲念多则软弱，欲念少则刚强。

宜静默，宜从容，宜谨严，宜俭约，

四者切己良箴。

忌多欲，忌妄动，忌坐驰①，忌旁骛，

四者切己大病。

常操常存，得一恒字诀；

勿忘勿助，得一渐字诀。

[原注]

时时遵此修持，则心自凝。

[注释]

①坐驰：身不动而心驰骛于外。《庄子·人间世》："瞻彼阕者，虚室生白，吉祥止止；夫且不止，是之谓坐驰。"

[译文]

人应该做到内心平静嘴不多言，遇事从容不迫，对人谨慎庄严，过生活节约俭省，这四句是与自己关系密切的箴言，应该铭记。

忌讳多欲，忌讳盲动，忌讳坐驰，忌讳旁骛，这四句是与自己关系密切的大病，应该及时医治。

经常遵循，经常保存的切身箴言，秘诀在于恒久。时时提醒不要助长切身的毛病，秘诀在于渐进。

敬守此心，则心定；敛抑其气，则气平。

[译文]

谨慎持守这善良的心，则心自安；收敛抑制那浮躁之气，则气平和。

人性中不可缺一物，
人性上不可添一物。

[译文]

在人性的涵养中有一种东西不可缺少，即为善；一件东西也不能多添，即私欲。

君子之心不胜其小，而气量涵盖一世；
小人之心不胜其大，而志意拘守一隅。

[译文]

君子心无杂欲，光明磊落，气量大得可以涵盖整个世界；小人心多私欲，阴险狡诈，志意小得只能拘泥一角。

怒是猛虎，欲是深渊。

[译文]

发怒正如猛虎，伤及别人；欲望如同深渊，难以填满。

忿如火，不遏则燎原；
欲如水，不遏则滔天。

[原注]

故君子立身，其大要在乎惩忿窒欲。

[译文]

愤怒情绪如同火焰，不遏制就会烧遍原野；欲望如同洪水，不遏制就会吞没大地。

惩忿如摧山，窒欲如填壑。
惩忿如救火，窒欲如防水。

[原注]

《集古录》云：学者之惩忿窒欲，即使八战八克，终惧冷灰之复燃；倘其七纵七擒，必至狂澜之横决。直须一刀两断，方是澈底澄清。

[译文]

控制怒气应有摧毁大山一样的毅力，消除欲念应有像填平深渊一样的志气。控制怒气要像救火一样迅疾，消除欲念要像防洪一样百倍警惕。

心一松散，万事不可收拾。
心一疏忽，万事不入耳目。
心一执著，万事不得自然。

[译文]

心里松劲，凡事都难办成；心里大意，凡事不能专心；心里固执，凡事都看不清它们自身发展的内在原因。

一念疏忽，是错起头；
一念决裂，是错到底。

[译文]

一念没有想好，便成为错误的开始；一念不去认真纠正过失，改弦更张，便会一错到底。

古之学者，在心上做工夫，
故发之容貌，则为盛德之符；

今之学者，在容貌上做工夫，
故反之于心，则为实德之病。

[原注]

陈榕门云：诚于中，自然形于外；制乎外，所以养其中。

[译文]

古代的学者在内心涵养方面下工夫，所以表现在言行举止上则是德高望重的标志；今天的学者只在外表上下工夫，不把内心涵养放在重要位置，结果他的实际德行出现了明显的缺陷和毛病。

只是心不放肆，便无过差；
只是心不怠忽，便无逸志。

[译文]

只要不放纵欲念，不胡思乱想，行动上就不会出现差错；只要不怠情疏忽，不粗心大意，行动上就不会为所欲为，背弃天理。

处逆境心，须用开拓法；
处顺境心，要用收敛法。

[原注]

智慧如镜，富贵福泽，其翳之者也；困苦艰难，其磨之者也。徐曙庵云：最妙是一个逆字，今人处顺境，现成受享，有何意味！惟逆则艰难险阻中，陶炼得几许事业。故逆来顺受四字，随在当有自得处。

薛文清云：国以逸欲而亡，家以逸欲而败，身以逸欲而为昏愚、为戕贼，患无不至。盖忧患是天理之行，震动惊醒，心胆变换之地；安乐是人欲之窟，般乐怠傲，志溺魂销之地。故孟子云：生于忧患，死于安乐。古语云：富贵不与骄奢期，而骄奢至；骄奢不与死亡期，而死亡至。处顺境者，可以知所警矣。

[译文]

处于逆境的时候，心境应该开拓，以便磨练意志；处于顺境的时候，言行应该收敛，以便严于律己，以免因放纵而铸成更大的过失。

世路①风霜，吾人炼心之境也。
世情②冷暖，吾人忍性之地也。
世事③颠倒，吾人修行之资也。

[注释]

①世路：人生之路。②世情：世态人情。陆机《文赋》："练世情之常尤，识前修之所淑。"③世事：当时的事情。

[译文]

人生之路上的风云变化，可以锻炼人的意志；世上的人情冷暖，可以培养人的忍性和耐心；世事的是非颠倒，可以作为人们修身实践的依据。

青天白日的节义，自暗室屋漏①中培来；
旋乾转坤的经纶②，自临深履薄③处得力。

[注释]

①暗室屋漏：古代称房屋的西北角为屋漏，是安敬神主人所不见之处。《诗经·大雅·抑》："相在尔室，尚不愧于屋漏。"所谓不愧屋漏，犹言不愧暗室，都是指人独处时依然光明正大的品质。②经纶：理丝绪叫经，编丝成绳为纶。此处意为治理国家，谋划大事。《礼记·中庸》："惟天下至诚，为能经纶天下之大经。"③临深履薄：指人的一生会遇到很多危险和灾难，每走一步，都要小心谨慎。《诗经·小雅·小旻》："战战兢兢，如临深渊，如履薄冰。"

[译文]

光明磊落的节操和义气，是从独处暗室，不为人知的地方培养出来的；扭转乾坤，改天换地的才干，是从战战兢兢，如临深渊，如履薄冰的险境中锻炼出来的。

名誉自屈辱中彰，德量自隐忍中大。

[原注]

尹和靖云：莫大之祸，皆起于须臾之不能忍，不可不谨。

薛文清云：必能忍人不能忍之触忤，斯能为人不能为之事功。又云：自古大智大勇，必能忍小耻小忿，皆是享福泽处。

颜光衷云：每任天下事，则是非交集，非受垢受不祥，火气都尽，未有能休休有容、沉默济世者也。故世间大丈夫每以忍辱为第一精进。

[译文]

人的名誉名声在屈辱中得以彰显，人的德行度量在痛苦的隐忍中得以扩大。

谦退是保身第一法，安详是处事第一法，
涵容是待人第一法，洒脱是养心第一法。

[译文]

谦恭退让是保护自身的最好方法，安静平和、从容不迫是处理事情的最好方法，有涵养能容忍别人是待人接物的最好方法，潇洒而脱俗是培养心性的最好方法。

喜来时，一检点。怒来时，一检点。
怠惰时，一检点。放肆时，一检点。

[原注]

刘念台云：易喜易怒，轻言轻动，只是一种浮气用事，此病根最不小。如今要将此种浮气，觅个销归安顿处。平时养得定了，自然发而中节。

[译文]

高兴时，检点一下。发怒时，检点一下。怠惰时，检点一下。放肆时，检点一下。

自处超然①,处人蔼然②。

无事澄然③,有事斩然。

得意淡然,失意泰然④。

[原注]

非有盛养者,不能。

[注释]

①超然:超脱的样子。②蔼然:和蔼可亲的样子。③澄然:沉静的样子。澄,止水。④泰然:安稳的样子。

[译文]

独处时,要超脱;跟人相处时,要和蔼可亲。无事时,要沉着冷静;有事时,要做事果断。得意时,要平淡平和;失意时,要泰然处之。

静能制动,沉能制浮。

宽能制褊①,缓能制急。

[注释]

①褊:气量狭小。

[译文]

安静能克制躁动,沉潜能克制虚浮,宽宏能克制狭隘,和缓能克制偏激。

天地间真滋味,惟静者能尝得出;

天地间真机括,惟静者能看得透。

[原注]

灯动则不能照物,水动则不能鉴物。人性亦然,动则万理皆昏,静则万理皆澈。

静之一字,十二时离了一刻不得,才离便乱了。门尽日开阖,枢常静;妍媸尽日往来，镜常静；人尽日应酬，心常静。惟静也，故能主张得动。若逐动而去，应事定不分晓。便是睡时，此念不静，做个梦儿也胡乱。人心至活，倏忽之间，起灭万状，未有无所事事，而能悬空守之者。初入静者，不知摄持之法，必须涵咏圣贤之言，使义理津津悦心，方得天机流畅，断不可空持硬守也。

[译文]

世界上有一种真正的滋味，只有心静的人才能够品尝出来；天地间有一种真正的奥秘，只有心静的人才能够体验出来。

有才而性缓，定属大才；
有智而气和，斯为大智。

[译文]

有才能而性情和缓稳重的人，一定是有大才能；有智慧而心气平和的人，则是有大智慧。

气忌盛，心忌满，才忌露。

[译文]

气忌太盛，心忌自满，才忌太露。

有作用者，器宇定是不凡；
有智慧者，才情决然不露。

[原注]

口头有一句话，定要说出；胸中有一毫才，决要露出，只是量窄。然因其无量，即以卜其无福。

[译文]

有作为的人，他的仪表也一定不平凡；有智慧的人，他的才能不会轻易为外人所知。

意粗性躁，一事无成。
心平气和，千祥骈集。

[原注]

冲繁地，顽钝人，拂逆时，纷杂事，此中最好养心。若决裂愤激，不但无益，而事卒以偾，人卒以怨，我卒以败，此之谓至愚。耐得过时，便有无限受用处。人性褊急则气盛，气盛则心粗，心粗则神昏。其处事也不能再思，其与人也不能三反，其治家也不能百忍，乖舛谬戾，可胜言哉！吕新吾云：天下之物，纡徐柔和者多长，迫切急躁者多短。人生寿夭祸福，无不皆然。褊急者可以思矣。

吕新吾云：心平气和四字，非有涵养者不能做。工夫只在个定火，火定则百物兼照，万事得理。若一动火，则神昏气乱，便种种都不济了。又云：涵养不定底，恶言到耳，先思驭气，气平再没错著。

陈榕门云：定火工夫，不外以理制欲，理胜则气自平矣。

[译文]

为人性情急躁而粗心大意的人，将来恐怕一事无成；而为人心平气和，做事不慌不忙的人，将会万事得理，千祥骈集，人人满意。

世俗烦恼处，要耐得下。
世事纷扰处，要闲得下。
胸怀牵缠处，要割得下。
境地浓艳处，要淡得下。
意气忿怒处，要降得下。

[译文]

遇到世俗烦恼时，需要忍耐得住；遇到杂事纷扰时，需要清闲得住；胸中有所牵挂时，要能抛得开；境地繁荣浓艳时，应能淡然处之；心中恼火时，应能沉得住气。

以和气迎人，则乖沴①灭。
以正气接物，则妖氛消。
以浩气临事，则疑畏释。
以静气养身，则梦寐恬。

[原注]

非生平有养气工夫者，不克语此。

[注释]

①乖沴（lì）：灾难、祸害。《庄子·大宗师》："阴阳之气有沴。"《汉书·孔光传》："六沴之作。"

[译文]

以和气待人，则灾难和祸害就会很快排除。以正气接物，则妖氛邪气就会自然消失。以浩然之气处理事情，就能消除心中疑惧。若能用静气养身，那么做梦也会甜美。

观操存，在利害时；观精力，在饥疲时；
观度量，在喜怒时；观镇定，在震惊时。

[译文]

观察一个人的操守，在其利害得失的时候；观察一个人的精力，在其饥饿疲劳的时候；观察一个人的度量，在其喜怒哀乐发作的时候；观察一个人的镇定自若，在其面对突然事变猛然感到震惊的时候。

大事难事看担当，逆境顺境看襟度。
临喜临怒看涵养，群行群止看识见。

[译文]

从大事难事中，可以看出一个人的责任心；在逆境顺境中，可以看出一个人的胸怀和气度。从他如何处理自己的喜怒哀乐，可以

存养类　53

看出他个人涵养的深浅；从他同众人一起行动一起休息的时候，可以看出这个人见识的高低。

轻当矫之以重，浮当矫之以实，褊当矫之以宽，执当矫之以圆，傲当矫之以谦，肆当矫之以谨，奢当矫之以俭，忍当矫之以慈，贪当矫之以廉，私当矫之以公，放言①当矫之以缄默，好动当矫之以镇静，粗率当矫之以细密，躁急当矫之以和缓，怠惰当矫之以精勤，刚暴当矫之以温柔，浅露当矫之以沉潜，溪刻②当矫之以浑厚。

[原注]

此变化气质工夫也。

[注释]

①放言：放肆其言，不拘节制。即放纵谈论。《后汉书·孔融传》："又前与白衣祢衡跌荡放言。"又《荀韩钟陈传论》："汉自中世以下，阉竖擅恣，故俗遂以遁身矫洁放言为高。"②溪刻：有的写作犀刻。即言辞刻薄或苛刻。《世说新语·豪爽》："桓公读《高士传》，至於陵中子，便掷去，曰：'谁能作此溪刻自处？'"

[译文]

轻薄应当用稳重加以矫正；浮躁应当用踏实加以矫正；褊狭应当用宽大加以矫正；固执应当用灵活加以矫正；骄傲应当用谦虚加以矫正；放纵应当用谨慎加以矫正；奢侈应当用节俭加以矫正；残忍应当用仁慈加以矫正；贪婪应当用廉洁加以矫正；自私应当用公心加以矫正；放言应当用缄默加以矫正；好动应当用镇静加以矫正；草率应当用细密加以矫正；急躁应当用和缓加以矫正；懒惰应当用勤奋加以矫正；粗暴应当用温柔加以矫正；浅露应当用沉潜加以矫正；刻薄应当用深厚加以矫正。

持躬类

聪明睿知,守之以愚。
功被天下,守之以让。
勇力振世,守之以怯。
富有四海,守之以谦。

[译文]

人有聪明与智慧,应该用愚笨的方法进行保持;人若功劳盖世,应该用忍让的方法进行保持;人有勇气和力量威震天下,应该用怯懦的方法进行保持;人若富甲天下,据有四海,应该用谦虚的方法进行保持。

不与居积人争富,不与进取人争贵,
不与矜饰人争名,不与少年人争英俊,
不与盛气人争是非。

[原注]

陈榕门云:皆退一步想。《谈古录》云:新吾先生五不争。其一曰:不与盛气人争是非。窃谓是非亦不可不争,但彼以盛气加之,我以和气应之,可也。程明道与王安石论新法不合,安石勃然发怒。明道霁色语之曰:"天下事,非一人之私议,愿公平心以听之。"安石为之屈服。此与盛气人争是非之法也。

[译文]

不和囤积居奇的投机商人比富，不与青云直上飞黄腾达的人争贵，不和矜夸和喜欢文过的人争名，不和年轻少年争比英俊，不和盛气凌人的人争是非。

富贵，怨之府也。才能，身之灾也。声名，谤之媒也。欢乐，悲之渐也。

[原注]

只是常有惧心，退一步做，见益而思损，持满而思溢，则免于祸。

[译文]

富贵是积怨的府第，才能是损害自己的灾难，名声是招致诽谤的媒介，欢乐是产生悲哀的开始。

浓于声色，生虚怯病。
浓于货利，生贪饕①病。
浓于功业，生造作病。
浓于名誉，生矫激②病。

[原注]

万病之毒，皆生于浓，吾以一味解之，曰：淡。夫鱼见饵不见钩，虎见羊不见阱，猩猩见酒不见人，非不见也，迷于其中，而不暇顾也。此心一淡，则艳冶之物不能移，热闹之境不能动。夫能知困穷抑郁、贫贱坎坷之为祥，则可与言道矣。

[注释]

①贪饕：贪狠。饕，饕餮（tāo tiè），乃是一种凶猛的野兽，后用以比喻贪婪凶狠的人。②矫激：不喜欢平庸而设法造作。

[译文]

迷恋声色过度，容易生出虚怯病。追逐财利过度，容易生出贪狠病。追求功名过度，容易生出弄虚作假，装腔作势的造作病。追求名声过度，容易生出有违常情，力避平庸的矫激病。

想自己身心，到后日置之何处；
顾本来面目，在古人像个甚人。

[原注]

方恪敏公云：人之为人，有几等，总要为不可少之人。若庸庸碌碌，可有可无，是谓醉生梦死，污秽天壤。虽富贵不足齿，数也。幸生其间者，不可不知有生之乐，亦不可不怀虚生之忧。

[译文]

考虑一下自己的内心，去世后究竟置放在何处？看看自己的为人，在古人那里到底像个什么人？

莫轻视此身，三才①在此六尺②；
莫轻视此生，千古③在此一日。

[原注]

古语云：此身不向今生度，更向何生度？此身盖同此日也。以之作恶，则无穷之祸基于此日；以之为善，则不朽之业亦基于此日。苟不弃时，而此心快足，虽夕死何恨。不然，即百岁幸生也。

[注释]

①三才：指天、地、人。《易·说卦》中说："是以立天之道，曰阴与阳；立地之道，曰柔与刚；立人之道，曰仁与义。兼三才而两之，故《易》六画而成卦。"②六尺：指人的身体。③千古：指人的一生功业。

[译文]

不要看不起自己的小小躯体，因为天、地、人三才全部蕴藏在六尺躯体之中。不要轻视自己的短暂一生，因为千古功业的建树，就包含在这每一天之中。

醉酒饱肉，浪笑恣谈，却不错过了一日？

妄动胡言，昧理纵欲，讵不作孽了一日？

[原注]

无论造孽结冤，而把弥天盖地的力量，积庆垂庥的日子，忙过错过，岂不可惜？

[译文]

酩酊大醉，大鱼大肉，玩笑嬉戏，闲聊取乐，莫不是白白浪费了每一天？胡作非为，胡言乱语，违反情理，恣情纵欲，岂不是造孽了每一天？

不让①古人，是谓有志；

不让今人，是谓无量。

[注释]

①让：谦让，辞让，退让。《尚书·尧典》："允恭克让。"《礼记·曲礼》："君子恭敬撙节，退让以明礼。"《左传·文公元年》："卑让，德之基也。"又《襄公十三年》："让，礼之主也。"

[译文]

不谦让古代人，这叫有志气；不谦让当代人，这叫没有度量。

一能胜千，君子不可无此小心；

吾何畏彼①，丈夫不可无此大志。

[注释]

①吾何畏彼：语出《孟子·滕文公》："彼丈夫也，吾丈夫也，吾何畏彼哉？"意为："我为什么要畏惧他？"

[译文]

一个人能战胜上千人，君子不能没有这样的小心防备；吾何必惧怕他，男子汉不能没有这样的志气。

怪小人之颠倒豪杰,
不知惟颠倒方为小人;
惜君子之受世折磨,
不知惟折磨乃见君子。

[原注]

或问:人遭患难,是不幸事?曰:患难亦是不经事人良药,明心炼性,通变达权,正在此处得力。人生最不幸处,是偶一失言而祸不及,偶一失谋而事幸成,偶一恣行而获小利,后乃视为故常,恬不为意,则败行丧检,莫大之患。

[译文]

一般人总爱责怪小人颠倒混淆了豪杰,但是不懂得正因为他的颠倒混淆才成为了小人。可怜天下君子一般都经过患难折磨,而不知道只有经过折磨的人才能成为君子。

经一番挫折,长一番识见。
容一番横逆,增一番器度。
省一分经营,多一分道义。
学一分退让,讨一分便宜。
去一分奢侈,少一分罪过。
加一分体贴,知一分物情。

[译文]

经过一次挫折,增长一分见识;遭受一次磨难,增加一分气量;减少一分营私,增多一分道义;学会一分忍让,多讨一分便宜;减去一分腐化,减少一分罪过;对别人多一分体贴,就多懂得一些人情事理。

不自重者取辱,不自畏者招祸,

不自满者受益，不自是者博闻。

[译文]

不自爱自重的人，往往自取其辱；行动不谨慎小心，没有自畏意识的人往往会招来灾祸；从不自满保持谦虚的人，往往会得到好处；勤于学习，总不自以为是的人不仅学问广博，而且也有丰富见识。

有真才者，必不矜才；
有实学者，必不夸学。

[译文]

有真正才能的人，必然不会因为自己有真正才能而傲视别人；有实实在在学问的人，必然不会因为自己有实实在在的学问而对别人炫耀夸饰。

盖世功劳，当不得一个矜字；
弥天罪恶，最难得一个悔字。

[译文]

尽管人有盖世功劳，也不能骄傲自满；尽管人有弥天大罪，只要能够改悔就是难得的。

诿罪掠功，此小人事。
掩罪夸功，此众人事。
让美归功，此君子事。
分怨共过，此盛德事。

[原注]

陈榕门云：让美归功，功自易集；分怨共过，过亦何伤！此惟明于大体，而存心公恕者能之。

[译文]

把过错推给别人,把功劳归于自己,这是小人所做的事。掩饰过失,炫耀功劳,这是一般人所做的事。把好事和功劳让给别人,这是品德高尚的君子所做的事。和他人共同承担怨恨过失,这是大德大才之人所做的事。

毋毁众人之名,以成一己之善;
毋没天下之理,以护一己之过。

[原注]

世之人常把好事让与他人做,而甘居己于不肖;又要掠个好名儿在身上,要诋他人为不肖。悲夫!是益其不肖也。今人有过,只在文饰弥缝上做工夫,费尽了无限巧回护,成就了一个真小人。

[译文]

不能用诋毁众人名誉的手段,把天下的善事都转移到自己身上;不能用冒犯天下公理的办法,来袒护自己的过失。

大著肚皮容物,立定脚跟做人。
实处著脚,稳处下手。

[译文]

处理事情要宽宏大量,做人要把脚跟站稳。为人要在踏实的地方落脚,最稳当的地方着手。

读书有四个字最要紧,曰阙疑好问[①];
做人有四个字最要紧,曰务实耐久[②]。

[注释]

①阙疑好问:指读书治学中对疑难问题采取缺如存疑好问的态度。②务实耐久:即踏踏实实,持之以恒。

[译文]

读书有四个字最重要,叫做"阙疑好问";做人也有四个字最重要,叫做"务实耐久"。

事当快意处须转,言到快意时须住。

[原注]

殃咎之来,未有不始于快心者。故君子得意而忧,逢喜而惧。

[译文]

做事应在得意的时候,想到不顺利的一面,以防乐极生悲的现象发生。说话说到得意忘形的时候,应该立即停止,以防言多有失。

物忌全胜,事忌全美,人忌全盛。

[译文]

天地万物忌讳茂盛到极点,事情忌讳完美无缺,个人生活忌讳十全十美。

尽前行者地步窄,向后看者眼界宽。

[译文]

不知拐弯一味前行的人路会越来越窄;常常向后看的人眼界会越来越宽广。

留有余不尽之巧,以还造化。
留有余不尽之禄,以还朝廷。
留有余不尽之财,以还百姓。
留有余不尽之福,以贻子孙。

[译文]

把一些暂时不用的巧思,拿来还给大自然;把一些用不完的俸禄，拿来重新还给朝廷；把一些用不完的钱财，拿出来重新还给百姓；把那些一时享用不尽的福泽，用来遗留给子孙。

四海和平之福，只是随缘；
一生牵惹之劳，总因好事。
[译文]
四海和平安定幸福，只是由于随缘。一生牵挂劳累，总是因为好事。

花繁柳密处拨得开，方见手段；
风狂雨骤时立得定，才是脚跟。
[原注]
不见可欲时，人人都是君子。一见可欲，不是滑了脚跟，便是摆动念头。苟非中存有主，将自己的身家性命体贴一番，鲜有不堕入魔障者。先辈诗云："世上无如人欲险，几人到此误生平。"沉溺者可以惊心回首矣。

人当变故之来，只在静守，不宜躁动。即使万无解救，而志正守确，虽事不可为，而心终可白。否则必至身败而名亦不保，非所以处变之道。
[译文]
在花繁柳密的地方，面对各种诱惑而能找到一条路的，才是手段高明之举；面对狂风骤雨，艰难坎坷而能站得稳，挺得住，这才是立场坚定。

步步占先者，必有人以挤之；
事事争胜者，必有人以挫之。
[译文]
步步都想占先的人，后面必定有人排挤他；事事都要争胜的人，必然有人等着挫败他。

能改过，则天地不怒；

能安分，则鬼神无权。

[原注]

王文成公云：人果能一旦洗涤旧染，虽昔为寇盗，今日亦不害为君子。

袁了凡云：从前种种，譬如昨日死；从后种种，譬如今日生。可为悔过者法。

人能置身静稳中，即鬼神造化，亦奈何他不得。先辈诗云："守分身无辱，知几心自闲。"

[译文]

做了错事，只要能悔过自新，那么天地亦自当原谅；生活只要安分守己，那么鬼神对他也无权施威。

言行拟之古人，则德进。

功名付之天命，则心闲。

报应念及子孙，则事平。

受享虑及疾病，则用俭。

[译文]

言行效法古人，品德则会日益长进。把功名交给天命掌握，那么心神自然就会安闲。如果想到报应会殃及子孙，那么做事就会公正。担心过度享受会产生疾病，那么日常生活就不再浪费。

安莫安于知足，危莫危于多言。

贵莫贵于无求，贱莫贱于多欲。

乐莫乐于好善，苦莫苦于多贪。

长莫长于博谋，短莫短于自恃。

明莫明于体物，暗莫暗于昧几。

[译文]

　　知足能够使人快乐而又安定,多言往往使人遭到意想不到的危险。清心寡欲、与人无求是人间最大的富贵,为人没有比欲火旺盛、见什么想要什么更下贱的了。人生最大的快乐是乐善好施,人生最大的痛苦是贪心不能满足。一个人最大的优点和长处是足智多谋,心有奇计,一个人最大的短处和缺陷就是自恃聪明,实际上对人情世故一无所知。人想明白事理就得体察物情,一个人的最大愚暗莫过于昧掉良心,受人蒙蔽。

　　能知足者,天不能贫。
　　能忍辱者,天不能祸。
　　能无求者,天不能贱。
　　能外形骸者,天不能病。
　　能不贪生者,天不能死。
　　能随遇而安者,天不能困。
　　能造就人材者,天不能孤。
　　能以身任天下后世者,天不能绝。

[译文]

　　能够知足的人,上天也不能使他贫穷。有忍受屈辱的阔大胸怀,上天也不愿让他陷于灾祸。对于心中无所欲求的人,上天也不忍让他处于下贱。能够放浪形骸之外的人,上天也不愿让他生病。对于不贪求长生的人,上天也不愿意让他轻易死去。对于能随遇而安的人,上天也不愿意让他遭困。对于能造就培养人才的人,上天也不会忍心让他孤立无援。对于能肩负大任造福后世的人,上天也不会让他断绝继承人。

　　天薄我以福,吾厚吾德以迓①之。

天劳我以形，吾逸吾心以补之。

天危我以遇，吾享吾道以通之。

天苦我以境，吾乐吾神以畅之。

[注释]

①迓（yà）：迎接、迎迓。《尚书·盘庚中》："予迓续乃命于天。"又《洛诰》："旁作穆穆迓衡。"注为"言迎治平也"。

[译文]

上天赐给我的福泽很少，我用努力修养品德补足；上天使我形体劳苦，我用放松心灵的办法减轻或者予以转移；上天在际遇中使我遭受危难，我就修身养性以使心境顺畅；上天使我的生活处境万分苦痛，我就设法寻求精神快乐从而让心境舒适。

吉凶祸福，是天主张。

毁誉予夺，是人主张。

立身行己，是我主张。

[原注]

陈榕门云：在我者，勉之；在人者，听之；在天者，顺以受之而已。

[译文]

人的吉凶祸福，是由上天主宰的；是非得失，是由他人主宰的；立身处世，则是取决于自己。

要得富贵福泽，天主张，由不得我；

要做贤人君子，我主张，由不得天。

[译文]

要想拥有富贵和福气，上天说了算，由不得我个人做主；要想做圣贤君子，这事由我自己做主，而不是上天的意志。

富以能施为德，贫以无求为德；
贵以下人为德，贱以忘势为德。

[原注]

陈榕门云：四语合来，无非要人重仁义而轻势利。

[译文]

人若富裕，应以施予为美德；人处贫贱，应以无所欲求为美德。地位高贵，应礼贤下士，以尊重地位卑贱的人为美德；地位卑贱，应以不趋炎附势为美德。

护体面，不如重廉耻。
求医药，不如养性情。
立党羽，不如昭信义。
作威福，不如笃至诚。
多言说，不如慎隐微。
博声名，不如正心术。
恣豪华，不如乐名教。
广田宅，不如教义方①。

[注释]

①义方：即法度和义理，指做人的正道。《国语·周语下》："上得民心，以殖义方。"后多指家教。《蔡中郎集·司徒袁公夫人马氏碑铭》："义方之训，如川之流。"

[译文]

做人注重体面，不如注重廉耻。寻求医药，不如颐养性情。结交党羽，不如昭示信义。作威作福，不如笃厚至诚。多言好说，不如慎重隐去短处，不使人知。博取名声，不如自己心术端正。纵情于奢侈豪华，不如沉浸于修炼名教之乐。广置田地房产，不如把法度义理教给子民。

行己恭,责躬厚,接众和,立心正,进道勇,择友以求益,改过以全身。

[原注]

刘念台云:改过一法,是圣贤独步工夫。层层剥换,不登巅造极不已。常人耻闻过,卒归下流,悲夫!

[译文]

自己行为谦恭,待人亲切厚道,与人和睦相处,思想品行端正,修养品德勇于进取,选择朋友注意择取正人以对自己有益,发现错误及时纠正,以达到使自己性格更加完美的目的。

敬为千圣授受真源,
慎乃百年提撕①紧钥。

[注释]

①提撕:即提醒,警戒。《颜氏家训·序致》:"业以整齐门内,提撕子孙。"

[译文]

恭敬乃是千载处事的准则,谨慎乃是百年警戒自身的箴言。

度量如海涵春育,应接如流水行云,
操存如青天白日,威仪如丹凤祥麟,
言论如敲金戛石,持身如玉洁冰清,
襟抱如光风霁月,气概如乔岳泰山。

[译文]

一个人的度量应该像大海一样宽广,像春天孕育万物无处不及;处理事物应该像行云流水那样顺畅快捷;节操应该像青天白日那样洁净;威仪姿态应该像丹凤和麒麟那样吉祥;说话应该像敲金击石那样铿锵有声;持身应该像玉石那样没有一点杂质,像冰块那样清澈;胸怀应该像和风明月那样坦荡;气概应该像东岳泰山那样高耸屹立。

> 海阔从鱼跃,天空任鸟飞,
> 非大丈夫不能如此度量!
> 振衣千仞冈,濯足万里流,
> 非大丈夫不能有此气节!
> 珍藏泽自媚,玉韫山含辉,
> 非大丈夫不能有此蕴藉!
> 月到梧桐上,风来杨柳边,
> 非大丈夫不能有此襟怀!

[译文]

大海辽阔任凭鱼儿游水跳跃,天空高远任凭鸟儿纵横飞翔,只有大丈夫才能有如此宽宏的度量。在千仞高的山冈上抖落身上的尘土,在万里激流中洗掉脚上的污垢,只有大丈夫才能有如此宏大的气节。水泽藏有珍珠才会显得如此妩媚,山岳埋有玉石才会放出光辉,这种蕴涵不是大丈夫是不会有的。看月亮照在梧桐树上,听春风徐徐来到杨柳树边,只有大丈夫才会有如此的襟怀。

> 处草野之日,不可将此身看得小;
> 居廊庙之日,不可将此身看得大。

[译文]

失意时,身处草野,然而不能自轻自贱;得意时,身处庙堂,然而不能自高自大。

> 只一个俗念头,错做了一生人;

只一双俗眼目,错认了一生人。

[原注]

陈榕门云:语云:"凡病皆可医,惟俗不可医。"正谓此也。

[译文]

只是因为用一个庸俗的念头去做人,一生都没做好。只是因为用一双庸俗的眼睛去看人,一生都没有看准。

心不妄念,身不妄动,口不妄言,君子所以存诚。
内不欺己,外不欺人,上不欺天,君子所以慎独。
不愧父母,不愧兄弟,不愧妻子,君子所以宜家。
不负天子,不负生民,不负所学,君子所以用世。

[译文]

心里不胡思乱想,行为不轻举妄动,口不胡言乱语,这是君子能够做到诚信的原因。内不自欺,外不欺人,对上不欺骗天子,这是君子能够做到谨慎独处的原因。不愧对父母,不愧对兄弟,不愧对妻子儿女,这是君子之所以能够治理家庭的原因。上不辜负君主的期望,下不辜负百姓的寄托,对自己又不辜负所学知识,这是君子之所以能够承担社会责任的原因。

以性分言,无论父子兄弟,即天地万物,皆一体耳!
何物非我?于此信得及,则心体廓然矣。
以外物言,无论功名富贵,即四肢百骸,亦躯壳耳!
何物是我?于此信得及,则世味淡然矣。

[译文]

从本性上说,无论父子兄弟,即天地万物都是属于一体的!什么东西不是我?我与天地万物有什么不同?只要相信这一点的人,他的心胸就会开阔许多了。就外在事物上说,无论功名富贵,即四肢躯壳，只不过是躯壳而已！什么东西是我？什么东西是我的？只要能够相信这一点的人，那么他处理事情时就会做到泰然自若了。

有补于天地曰功，有关于世教曰名，有学问曰富，有廉耻曰贵，是谓功名富贵。无为曰道，无欲曰德，无习于鄙陋曰文，无近于暧昧曰章，是谓道德文章。

[译文]

做对天地万物有所补益的事叫做功；有关于世道的说教叫做名；有学问有知识的人叫做富；懂得廉耻的人叫做贵。这就叫功名富贵。无为无不为叫做道；没有欲望叫做德；没有习惯性的恶俗叫做文；有原则不暧昧，态度明朗叫做章。这就是道德文章。

困辱非忧，取困辱为忧；
荣利非乐，忘荣利为乐。

[原注]

自君子观之，人欲是极苦的，天理是极甜的。小人反是，故从欲则如附膻，从理则若嚼蜡。

[译文]

一个人处境艰难被困受辱不值得忧虑，值得忧虑的倒是自取困辱的原因；一个人得到荣誉和利益并不快乐，值得快乐的倒是把一切荣誉和利益忘得一干二净。

热闹华荣之境，一过辄生凄凉；
清真冷淡之为，历久愈有意味。

[原注]

潘少白云：至理所在，入其中则乐见。若外饰之事，初见绚然，入其中则索然。真见道之言也。

[译文]

热闹繁华的时光一过,就会使人产生凄凉悲哀的情绪;淡泊清纯的行为,经过的时间越久越有滋味。

心志要苦,意趣要乐,
气度要宏,言动要谨。

[译文]

一个人的心志不怕劳苦,意趣应当乐观,气度应该宏大,言行必须谨慎。

心术以光明笃实为第一,
容貌以正大老成为第一,
言语以简重真切为第一。

[原注]

陈榕门云:三者工夫,原是一串,其效验亦是一串,丝毫假借不得。

[译文]

心底要以光明坦诚笃厚诚实为第一;仪容要以正大老练成熟稳重为第一;说话要以简洁明白真诚亲切为第一。

勿吐无益身心之语,
勿为无益身心之事,
勿近无益身心之人,
勿入无益身心之境,
勿展无益身心之书。

[原注]

田静持云:凡看理学之书,与养生之说,皆有切于日用,有助于性灵,不可作等闲看过。若冗屑书帙,无益性灵,徒损心目,不若闲观山水之为得也。

[译文]

不利于身心的话不说，不利于身心的事不做，不利于身心的人不交，不利于身心的场合不去，不利于身心的书不读。

**此生不学一可惜，此日闲过二可惜，
此身一败三可惜。**

[原注]

少年不努力，年老徒伤悲，良可浩叹。吕新吾云：只竟夕检点，今日说得几句话，关系身心，行得几件事，有益世道，自慊、自愧、自恍然独觉矣。人能内反至此，决不虚度一生。吕新吾云：少年要想我现在干得甚么事？到头成个甚么人？便有许多恨心，许多愧汗，如何放得自家过！

[译文]

一生不读书，这是第一件可惜之事；白白虚度一天，乃是第二件可惜之事；此身一败涂地，没有做成一件有益于百姓的事，这是第三件可惜之事。

**君子胸中所常体，不是人情是天理。
君子口中所常道，不是人伦是世教。
君子身中所常行，不是规矩是准绳。**

[原注]

且莫论身体力行，只听随在聚谈间，曾有几个说天下国家、身心性命、正经道理。终日哓哓刺刺，满口都是闲谈乱语。吾辈试一猛省，士君子在天地间，可否如此度日？一入儒者之门，自当从言规行矩始。

[译文]

君子心中常常体验到的，不是人情而是天理；君子口中经常说的，不是人伦而是名教；君子身体力行的，不是法律规章制度而是道德准则。

休诿罪于气化,一切责之人事;
休过望于世间,一切求之我身。

[原注]
陈榕门云：亟亟于所当尽,而不役役于所不可知也。

[译文]
不要把过错推诿于自然造化,一切都应该从人事方面寻求责任;不要过高期望世人觉醒,一切都从自己身上寻找原因。

自责之外,无胜人之术;
自强之外,无上人之术。

[原注]
其胜人、上人之本领,正于其自责自强处见之。

[译文]
除了自我反省严厉责备自己之外,没有什么可以胜过别人的办法;除了自强不息加倍努力之外,想要赶上或超过别人则是不可能的。

书有未曾经我读,事无不可对人言。

[原注]
平生无一事可瞒人,此是大快乐。

[译文]
书有很多我未曾读过,而我做过的事却没有一件不可告人。

闺门之事可传,而后知君子之家法矣;
近习之人起敬,而后知君子之身法矣。

[原注]

其作用处，只是毋不敬。

[译文]

家中的事情没有不可以外传的，然后可以知道君子治家的严谨与其家规的完备和美善；亲近的人对他肃然起敬，然后可以知道君子的言行是人们效法的榜样。

门内罕闻嬉笑怒骂，其家范可知；
座右遍书名论格言，其志趣可想。

[原注]

朱子云：圣贤之言，常将眼头过，口头转，心头运。

袁了凡云：凡人居家，几案上须有劝善书，或先贤格言一册，俾朝夕翻阅。可以收摄身心，扩充善念，获益不浅，而于教子弟辈，尤为要紧。

程子云：古之人，自能食能言而教之。是故大学之法，以豫为先。盖幼年心性未定，却以先入之言为主。为父兄师长者，则当以格言至论，日陈于前，与之朝夕而讲论之，日复一日，盈耳充腹。久之义理浃洽浸灌，不知不觉，入于圣贤之路矣。若为之不豫，偏好之见生于内，嗜欲之缘接于外，欲其不染于习俗也，难矣！

[译文]

门内听不到嬉笑怒骂声，可以知道这一家家规的严谨；从书桌上写满座右铭或者格言，可以知道这个人的高雅志趣。

慎言动于妻子仆隶之间，
检身心于食息起居之际。

[原注]

陈榕门云：二者皆人所易忽，于此处亦有操持，则无时敢忽。故观人每于所忽。

[译文]

自己的言行，即使在妻子儿女随从仆隶之间也应该谨慎；生活小节，即使在饮食起居方面也应该检点。

语言间尽可积德，妻子间亦是修身。

[译文]

平时与人谈话时，也可以积累德行；平日与妻子儿女怎样相处，也是修身。

昼验之妻子，以观其行之笃与否也；
夜考之梦寐，以卜其志之定与否也。

[译文]

白天，通过他的妻室儿女，来验证他的行为是否笃实真诚；夜晚，通过睡梦，来观察他的志向是否远大坚定。

欲理会七尺[①]，先理会方寸；
欲理会六合[②]，先理会一腔。

[注释]

①七尺：指人的身体。《荀子·劝学》："口耳之间，则四寸耳，曷足以美七尺之躯哉？" ②六合：指天、地、东、西、南、北六个空间涵盖了整个宇宙。

[译文]

想理解一个人，得先懂得他的心；想明白整个宇宙，必须首先明白自己。

世人以七尺为性命，
君子以性命为七尺。

[译文]

世俗之人把自己的身体当做自己的性命,而君子则把万物的性命当做自己的身体。

气象要高旷,不可疏狂。
心思要缜密,不可琐屑。
趣味要冲淡,不可枯寂。
操守要严明,不可激烈。

[译文]

人的气度要高远宽宏,但不能粗心疏狂;用心要缜密,但不能变得琐碎;趣味要高雅清淡,但不能枯燥无味;节操要严谨明白,但不能过于激烈。

聪明者,戒太察,
刚强者,戒太暴,
温良者,戒无断。

[原注]

古人云:当断不断,反受其乱。

[译文]

聪明的人,对待别人不能太苛细;刚强的人,对人不能太粗暴;温和善良的人,遇事不可优柔寡断。

勿施小惠伤大体,毋借公道遂私情。
以情恕人,以理律己。

[译文]

不要因施小恩小惠伤害大体,不要假公济私以满足自己。宽恕别人依据感情,约束自己依据事理。

以恕己之心恕人则全交,
以责人之心责己则寡过。

[译文]

用原谅自己的心去原谅别人,那么朋友就会越来越多;以责备他人之心来责备自己,就会很少出现错误与过失。

力有所不能,圣人不以无可奈何者责人;
心有所当尽,圣人不以无可奈何者自诿。

[原注]

陈榕门云:此即躬自厚而薄责于人也。人每相反出之,故终其身,惟见人之不如己意,不见己之不如人意。张子所云:以责人之心责己,以恕己之心恕人,则尽道是也。

[译文]

用尽所有力量而没有把事做成,圣人不会责备无可奈何之人;该尽的心完全尽到而没有把事办成,圣人不会因责备无可奈何之人而推卸自己的责任。

众恶必察,众好必察易。
自恶必察,自好必察难。

[原注]

陈榕门云:察于众好众恶者,不肯轻信人言;察于自好自恶者,不肯偏执己见。二者合而好恶乃得其真矣。

[译文]

对众人的过恶是必须明察的,而且做起来比较容易;对自己的过恶也是应该明察的,然而做起来比较困难。

见人不是,诸恶之根。
见己不是,万善之门。

[原注]

唐荆川《与弟书》云:居家但见人之过,不见己过,此学者公共病痛,亦学者切骨病痛。自后读书做人,须要刻刻检点自家病痛。盖所恶于人许多病痛处,若真知反己,则色色有之也。

[译文]

两眼如果只能看见别人的不对,乃是种种祸事产生的根源;两眼如果只能看到自己的不对,则是各种好事产生的渠道和门径。

不为过三字,昧却多少良心!
没奈何三字,抹去多少体面!

[原注]

四语意味无穷,非老于世务者不知。

[译文]

"不为过"三个字,使多少人昧却良心!"没奈何"三个字,使多少人失去体面!

品诣常看胜如我者,则愧耻自增;
享用常看不如我者,则怨尤自泯。

[译文]

经常看看那些道德修养比自己高的人,那么羞耻愧悔之心就会猛增;经常看看那些物质生活不如自己的人,那么怨天尤人的想法就会很快消失。

家坐无聊,亦念食力担夫红尘赤日。
官阶不达,尚有高才秀士白首青衿。

持躬类

[原注]

退一步想，大有味，唯知足者能之。先辈诗云："欲除烦恼先忘我，各有因缘莫羡人。"真得自在之乐。

[译文]

在家闲坐无聊时，应想想那些靠力气吃饭的挑夫，在炎炎烈日下负重奔忙；为自己官位不高而闷闷不乐时，应想想那些有才之士，他们白了头却依然是平民百姓。

将啼饥者比，则得饱自乐。
将号寒者比，则得暖自乐。
将劳役者比，则优闲自乐。
将疾病者比，则康健自乐。
将祸患者比，则平安自乐。
将死亡者比，则生存自乐。

[原注]

此养心自在法门也。

[译文]

同饥饿的人比，能够吃饱就是快乐；同受冷的人比，能得到温暖就是快乐；同做劳役的人比，能够优闲就是快乐；同患病的人比，身体健康就是快乐；同遭受祸患的人比，平平安安就是快乐；同死了的人比，能够活着就是快乐。

常思终天抱恨，自不得不尽孝心。
常思度日艰难，自不得不节费用。
常思人命脆薄，自不得不惜精神。
常思世态炎凉，自不得不奋志气。
常思法网难漏，自不得不戒非为。

常思身命易倾，自不得不忍气性。

[译文]

常想到父母死后做儿女的会抱恨终生，就不会不尽孝心；常想到过日子的艰难，就不会不省吃俭用；常想到生命的脆弱，就不会不重视养生保健；常想到世态炎凉，就不会不奋发振作自强不息；常想到法网恢恢，就不会胡作非为；常想到身心容易毁坏，就不会不忍气吞声。

以媚字奉亲，以淡字交友，
以苟字省费，以拙字免劳，
以聋字止谤，以盲字远色，
以吝字防口，以病字医淫，
以贪字读书，以疑字穷理，
以刻字责己，以迂字守礼，
以狠字立志，以傲字植骨，
以痴字救贫，以空字解忧，
以弱字御侮，以悔字改过，
以懒字抑奔竞风，以惰字屏尘俗事。

[原注]

此二十字，皆人所深恶之者，今乃假鸩毒为参术，变臭壤为金丹，直觉老大受用，讨尽便宜。

[译文]

用媚字孝敬父母；用平淡之心对待朋友；用得过且过之心节约开支；以笨拙无能免去许多辛劳；用装聋来对待别人的谤言；用装瞎以对待惊艳倩女；用吝啬小气来防止口无遮拦；用病字来诊治淫乱的欲望；用永远不知满足之心来读天下之书；用怀疑一切之心来穷尽世间之理；用苛刻之心来严格要求自己；用墨守成规的心态来

坚守礼仪制度；用狠字来树立远大志向；用傲字来铸成风骨坚定信仰；用痴字来救助贫穷；用空字来解除忧愁；用弱字来防止世人欺负；用悔悟之心来改正错误；用懒字来抑制世俗的奔竞之风；用惰字来屏弃世人追名逐利的庸俗行为。

对失意人，莫谈得意事；
处得意日，莫忘失意时。

[译文]

面对失意的人，不要谈论他人得意的事情；在得意的时候，千万不要忘记那些失意的日子。

贫贱是苦境，能善处者自乐；
富贵是乐境，不善处者更苦。

[译文]

贫贱是一种痛苦，然而对于善处的人来说，却能从中找出许多快乐；富贵是一种快乐，然而对于不善处的人来说，从中感受到的不是快乐，而是更大的痛苦。

恩里由来生害，故快意时须蚤回头；
败后或反成功，故拂心处莫便放心。

[译文]

恩宠里反而会生出祸害，因此，得意的时候需要早点回头；事情失败后反而可以成功，因此，不顺心的时候千万不要放弃。

深沉厚重，是第一等资质。
磊落雄豪，是第二等资质。
聪明才辩，是第三等资质。

[译文]

性格稳重深沉，是为人的第一等品质。心底磊落豪放，是为人的第二等品质。聪明善辩，是为人的第三等品质。

上士忘名，中士立名，下士窃名①。

[原注]

忘名者，体道合德，享鬼神之福佑，非所以求名也。立名者，修身慎行，惧姓氏之湮没，非所以攘名也。窃名者，厚貌深情，干浮华之虚称，非所以得名也。

[注释]

①上士、中士、下士：皆指官名。此处指贤士、凡人和愚人。《礼记·王制》："诸侯之上大夫卿、下大夫、上士、中士、下士凡五等。"

[译文]

上士品德高尚，忘记名声；中士品德一般，喜欢追求名声；下士品德低下，不择手段地窃取名声。

上士闭心，中士闭口，下士闭门。

[译文]

品德高尚的人，心中无所欲求，悠然自得；品德一般的俗人应该闭口不言；品德低下的愚人应该闭门思过。

好评人者身必危，自甘为愚，适成其保身之智；
好自夸者人多笑，自舞其智，适见其欺人之愚。

[译文]

好说别人坏话的人，自身必先遭遇危险；甘心做愚人的人，其愚恰好成了保全自身的智慧与巧计。爱好夸耀自己的人，一般都会被人耻笑；喜欢向人炫耀自己聪明的人，恰恰显露出他自欺欺人的愚蠢和无知。

闲暇出于精勤，恬适出于祗惧。
无思出于能虑，大胆出于小心。

[译文]

闲暇是从勤劳中挤出来的，恬淡舒适是从祗惧中培育出来的，不思是从多虑中派生出来的，大胆是从小心里积累起来的。

平康之中，有险阴焉。
衽席①之内，有鸩毒焉。
衣食之间，有祸败焉。

[原注]

祸患之伏，不在于经意处，正在于大意处。明哲之士，只在意外做工夫，故称万全而无弊。

[注释]

①衽（rèn）席：即朝堂宴请时所设席位或寝处之所。《礼记·坊记》："衽席之上，让而坐下。"《庄子·达生》："人之所取畏者，衽席之上，饮食之间，而不知为之戒者，过也。"

[译文]

平安康宁之中，暗藏危险；枕席之上，暗藏杀机；衣食之间，灾祸随时降临。

居安虑危，处治思乱。

[原注]

钱志骆《君子怀刑题文》开讲云：凡自恕之人，皆曰蹈于刑而不知忧，日幸免于刑而不知愧。又收束二小比：人力有欲自肆，凡疑朝夕补救之迂，而熟知惟此制心之可保；人至无地自容，始悟名教从容之乐，而岂若先乎虑患之为安。学问有得之语,当从战兢惕厉中来,真有功世道之文也。

[译文]

处境平安的时候,要想到危险;处于大治的时候,要想到混乱。

天下之势,以渐而成;
天下之事,以积而固。

[原注]

自古天下、国家、身之败亡,不出积渐二字。积之微,渐之始,可为寒心哉!是以君子重小损,矜细行,防微蔽。吕新吾云:人情之所易忽者,莫如渐。天下之太可畏者,亦莫如渐。周郑交质,若出于骤然。天子虽孱懦甚,亦必有恚心。诸侯虽豪横极,岂敢萌此念。追积渐渐所成,靥流不觉至是。故步视千里为远,前步视后步为近。千里者,步步之积也,是以骤者举世所惊,渐者圣人独惧。明以烛之,坚以守之,毫发不以假借,此慎渐之道也。

[译文]

天下的大趋势,是逐渐发展而形成的;天下的大事,是一点一滴积累而成的。

祸到休愁,也要会救;
福来休喜,也要会受。

[原注]

徒愁何益,救得一分是一分。空喜则福可为灾,能受则福且未艾。

[译文]

遇到灾祸,则不要发愁,应积极补救;遇到好事,不要盲目高兴,应该知道怎样对待与如何消受。

天欲祸人,先以微福骄之;

天欲福人，先以微祸儆之。

[译文]

上天若要降祸于人，必先用微小的福祉使人骄傲；上天若要赐福于人，必先用微小的灾患使之有所戒备。

傲慢之人骤得通显，天将重刑之也；
疏放之人艰于进取，天将曲赦之也。

[译文]

傲慢之人突然飞黄腾达，上天将会重重地惩罚他；粗狂放任的人艰难进取，上天将会设法成全他。

小人亦有坦荡荡处，无忌惮是已。
君子亦有长戚戚处，终身之忧是已。

[原注]

陈榕门云：亦相似而实不相同，人禽之分在此。

[译文]

小人有时候也会心胸坦荡，因为他得势以后总是肆无忌惮而已。君子也有悲戚的时候，因为君子终身都是忧国忧民而已。

水，君子也。其性冲[①]，其质白，其味淡。其为用也，可以浣不洁者而使洁。即沸汤者投以油，亦自分别而不相混，诚哉君子也。

油，小人也。其性滑，其质腻，其味浓。其为用也，可以污洁者而使不洁。倘滚油中投以水，必至激搏而不相容，诚哉小人也。

[原注]

形容尽致，推勘入微。明此，可以立身，可以观人。

[注释]

①冲:空虚。《老子》:"道冲而用之,或不盈,渊兮似万物之宗。"

[译文]

水是君子。它本性冲虚,质地洁白,味道淡泊。它的用处很多,用之于洗浣,可以使不清洁的东西变为清洁。即使在沸腾的开水中投放油,二者仍有区别而不相混,的确是这样,君子就是如此。

油是小人。它本性滑润,质地油腻,味道纯厚。它的主要用途是把清洁的东西污染为不清洁。倘若在滚热的油中放入水,二者必相激搏而不相容,的确是这样,小人就是如此。

凡阳必刚,刚必明,明则易知;
凡阴必柔,柔必暗,暗则难测。

[原注]

人心宽平则光明,狭险则幽暗。君子小人相反,只在阳明阴暗之间。故圣人演《易》,以阳为君子,以阴为小人。尝观天下之人,其光明正大,疏畅明达,磊磊落落,无纤介可疑者,必君子也;而其依阿淟涊,回互隐伏,闪烁狡狯,不可方物者,必小人也。

[译文]

凡属阳性,必然刚强,刚强的事物必然光明,光明就容易看清,从而易于了解;凡属阴性,必然柔弱,柔弱的事物必然暗淡,暗淡就难以看清,从而难以理解。

称人以颜子,无不悦者,忘其贫贱而夭;
指人以盗跖,无不怒者,忘其富贵而寿。

[原注]

人心好善恶恶之同然如此,而作人却与盗跖同归,何恶其名而好其实耶!

[译文]

称赞别人为颜子,没有人不高兴的,却忘记了颜回的一生是贫穷而短命的;指责别人为盗跖,没有人不恼火的,却忘记了盗跖的一生是富贵而长寿的。

事事难上难,举足常虞失坠;
件件想一想,浑身都是过差。

[译文]

每件事的办成都是难上加难,因此,操作实施时,应该经常防备失足从而掉入陷阱;每走一步,都要三思而行,经过认真反省就会发觉自己浑身都是过失。

怒宜实力消融,过要细心检点。

[译文]

恼怒的时候应当尽力消解怒气,犯错误时要细心检讨自己的过失。

探理宜柔,优游涵泳,始可以自得;
决欲宜刚,勇猛奋迅,始可以自新。

[译文]

探求事理应该优柔,仔细咀嚼品味思考,才能做到心有所得;排除个人欲望应该果断,勇猛迅速,坚决果敢,这样才能悔过自新。

惩忿窒欲,其象为损,得力在一忍字;
迁善改过,其象为益,得力在一悔字。

[原注]

能惩能窒，即是改过；改之又改，以至于寡，即是迁善。寡之又寡，以至于无，即是止于至善。

[译文]

克制愤怒，排除欲念，卦象为"损"，最重要的在于一个"忍"字，只要忍耐得住，欲念就会消失；迁善改过，重新做人，卦象为"益"，最重要的在于一个"悔"字，只要诚心悔过，就可以达到至善境地。

富贵如传舍①，惟谨慎可得久居；
贫贱如敝衣，惟勤俭可以脱卸。

[原注]

英锐者，造物得而折之；谨慎者，鬼神不得而乘之。谨慎二字，圣贤大学问在此，豪杰大作用亦在此。

朱柏庐云：勤与俭，治生之道也。不勤则寡入，不俭则妄费。寡入而妄费，则财匮；财匮则苟取。愚者为寡廉鲜耻之事，黠者入行险侥幸之途，生平行止，于此而丧，祖宗家声，于此而坠，生理绝矣。又况一家之中，有妻有子，不能以勤俭表率，而使相趋于奢惰，则自绝其生理，而又绝妻子之生理矣。以此思勤，安得不勤！以此思俭，安得不俭！

[注释]

①传舍：即古代驿站或供客人休息住宿的地方。司马迁《史记·廉颇蔺相如列传》："舍相如广成传舍。"又《战国策·魏策四》："令鼻之入秦之传舍。"

[译文]

富贵犹如客舍一样，只有谨慎的人才能久居其中；贫贱犹如一件破衣裳一样，只有勤俭的人才能把它脱去。

俭则约，约则百善俱兴；

侈则肆，肆则百恶俱纵。

[译文]

勤俭的人对自己一般都有严格约束，只有对消费严格约束，家庭富裕之后，才能去兴办各种想办的善事；奢侈的人生活态度一般都会放肆，挥金如土，对自己放任而不约束，那么各种坏事、恶事就会接踵而至。

奢者富不足，俭者贫有余；
奢者心常贫，俭者心常富。

[原注]

奢俭之有关心境也如此。

[译文]

奢侈的人虽然有很多钱财，但从来不知道有满足的时候，勤俭的人虽然贫困，但因量入为出，总觉得仍有节余。奢侈的人内心常常感到贫困，而勤俭的人内心却常常感到富有。

贪饕以招辱，不若俭而守廉。
干请以犯义，不若俭而全节。
侵牟①以聚怨，不若俭而养心。
放肆以遂欲，不若俭而安性。

[注释]

①侵牟：即侵夺，掠夺。《汉书·景帝纪》："吏以货赂为市，渔夺百姓，侵牟万民。"

[译文]

贪心不足常常招致他人侮辱，不如节俭而保持廉洁品德；为私欲去干请犯义，不如勤俭持家以保全节操；巧取豪夺以致结怨，不如勤俭做人以养身心；放任而纵欲，不如清心寡欲以保持天性的纯真。

静坐然后知平日之气浮。
守默然后知平日之言躁。
省事然后知平日之心忙。
闭户然后知平日之交滥。
寡欲然后知平日之病多。
近情然后知平日之念刻。

[译文]

静坐以后，才知道自己平时心浮气躁；沉思默想之后，才知道自己平时说话粗暴，而没有考虑成熟；对自己的所作所为反省之后，才知道自己平时心情忙乱而做法欠妥；关起大门之后，才知道自己平时交友不慎；欲望排除之后，才知道自己平时不加约束而导致疾病很多；接近人情之后，才知道自己平时不懂先人后己的古训而待人过于严苛。

无病之身，不知其乐也，病生始知无病之乐。
无事之家，不知其福也，事至始知无事之福。

[译文]

身体没病的时候，不知道没病的快乐，到了生病时才体会到没有生病时的快乐；家里不出事的时候，不知道这就是福气，到了出事时才体会到家里不出事是福气。

欲心正炽时，一念著病，兴似寒冰；
利心正炽时，一想到死，味同嚼蜡。

[译文]

心中欲火燃烧得正旺盛的时候，只要一想到会招致疾病，兴致就会凉过寒冰；追求利益之心正旺盛的时候，只要一想到将来人人都会死，那么追求利益之心则会味同嚼蜡，索然无味。

有一乐境界，即有一不乐者相对待；
有一好光景，便有一不好底相乘除。

[原注]

只是寻常茶饭，实地风光，才是安乐窝。胡文定公云：人家最不要事事足意，常有些不足处方好；才事事足意，便有不好事出来。历试历验。

[译文]

只要有一处快乐的境界出现，就会有一个不好的方面与之相随；只要有一个丰收的好年景出现，便会有一个不好的年景接踵而至。

事不可做尽，言不可道尽，
势不可倚尽，福不可享尽。

[原注]

邵康节诗云："美酒饮教微醉后，好花看到半开时。"最为亲切有味。

[译文]

事情不能做尽，说话应当留有余地，不应当什么都依靠权势，更不能把人世上的福气享尽。

不可吃尽，不可穿尽，不可说尽；
又要懂得，又要做得，又要耐得。

[原注]

粗浅语，却不容易做到。

[译文]

不可以吃尽，不可以穿尽，不可以说尽；又要理解，又要做到,又要忍耐。

难消之味休食,难得之物休蓄。
难酬之恩休受,难久之友休交。
难再之时休失,难守之财休积。
难雪之谤休辩,难释之忿休较。

[译文]

难消化的食物不要吃,稀有难得的东西不要收藏。难以报答的恩情不要接受,难长久的朋友不要交往。不能再有的机遇不能丧失,很难看守保存的东西不要积累。难以澄清的谤言不要争辩,难以消解忘记的愤怒不要计较。

饭休不嚼便咽,路休不看便走,
话休不想便说,事休不思便做,
衣休不慎便脱,财休不审便取,
气休不忍便动,友休不择便交。

[译文]

吃饭不能不嚼就咽,走路不能不看就走。说话不能不想就说,事情不能不想就做。脱衣服不能不谨慎小心就脱,钱财不能不想清楚就取。怒气不能不忍就去发泄,朋友不能没有经过选择就去结交。

为善如负重登山,志虽已确,而力犹恐不及;
为恶如乘骏走坂,鞭虽不加,而足不禁其前。

[译文]

做善事如同负重登山,虽然志向已经确定,但是担心的仍是力所不能及;做坏事如同骑马下山,虽然不用加鞭,而双脚却在不知不觉中向前。

防欲如挽逆水之舟，才歇手，便下流；
力善如缘无枝之树，才住脚，便下坠。
[原注]
君子之心，无时而不敬畏者以此。
[译文]
排除欲念犹若逆水挽舟，稍一松劲，便顺水而下；做善事犹若攀缘无枝之树，稍一停住，双脚便往下坠。

胆欲大，心欲小，智欲圆，行欲方。
[原注]
见义勇为，文理密察，应物无滞，截然有执。
[译文]
胆要大，心要细，智慧要圆润，行为要方正。

真圣贤，决非迂腐；
真豪杰，断不粗疏。
[译文]
真正的圣贤绝不迂腐呆板，真正的豪杰绝不粗鲁疏漏。

龙吟虎啸，凤翥鸾翔，大丈夫之气象；
蚕茧蛛丝，蚁封蚓结，儿女子之经营。
[译文]
龙吟虎啸，凤飞鸾翔，这是大丈夫的气概；蚕儿结茧，蜘蛛吐丝，蚂蚁筑巢，蚯蚓纠结，这是小女子的营生。

格格①不吐，刺刺②不休，总是一般语病，请以莺歌燕语疗之；

恋恋不舍，忽忽若忘，各有一种情痴，当以鸢飞鱼跃化之。

[注释]

①格格：鸟鸣的声音。②刺刺：爱说话的样子。

[译文]

吞吞吐吐，喋喋不休，这是人在说话时的病态表现，请以莺歌燕语的悦耳之声加以治疗；依依不舍，若志若忘，各是一种痴情的显示，应以鸢飞鱼跃的开阔气度去化解。

问消息于蓍龟①，疑团空结；

祈福祉于奥灶②，奢想徒劳。

[原注]

《慈湖先训》云：心吉则百事俱吉。古人于为善者曰吉人，是此人通体皆吉。世间凶神恶煞，如何干犯得他？真乃窥见本原之确论也。

刘念台云：《易经》所言趋吉避凶者，盖趋善而避恶也。今人解吉凶，都说向人事上去，大错。

[注释]

①蓍龟：古代占卜的用具，即蓍草和龟甲。《易经·系辞上》："探赜索隐，钩深致远，以定天下之吉凶，成天下之亹亹者，莫大乎蓍龟。"②奥灶：屋内西南角，神所居处。灶，指神。《论语·八佾》："与其媚于奥，宁媚于灶。"

[译文]

用蓍草和龟甲占卜吉凶，种种疑团依然在心中空结；向鬼神祈求福祉，依然是水中捞月，徒劳无益。

谦，美德也，过谦者怀诈；

默，懿行也，过默者藏奸。

[原注]

谦不中礼，所损甚多。若能于礼字中，求一中字，则过与不及皆非矣。鹰立如睡，虎行如病，乃是他攫人噬人的手段。奸恶之辈，多此形态，不可不知。

[译文]

谦虚是做人的美德，然而过于谦虚的人往往心怀奸诈；缄默是为人的高尚品行，然而缄默过度则会被人视为心术不正。

直不犯祸，和不害义。

[译文]

正直不会招致祸患，平和不会伤害义气。

圆融者无诡随之态，精细者无苛察之心，
方正者无乖拂之失，沉默者无阴险之术，
诚笃者无椎鲁①之累，光明者无浅露之病，
劲直者无径情②之偏，执持者无拘泥之迹，
敏练者无轻浮之状。

[原注]

有所长，而矫其长之失，此是全才，是善学。陈榕门云：人有一长处，即有一病处；其病处即在所长之中。长善救失，全凭学问。

[注释]

①椎鲁：迟钝、鲁莽。②径情：肆意，任性。

[译文]

圆通随和的人没有不顾是非而妄随他人的表现，精明细心的人没有以烦琐苛刻为明察的心理，端方正直的人没有乖戾背逆的过失，深沉缄默的人没有阴险的手段，诚实笃厚的人没有鲁钝的牵累,光明磊落的人没有浅露的毛病,刚直的人没有任意的偏见和失误,果断的人没有拘泥的形迹,机敏练达的人没有轻浮的样子。

才不足则多谋,识不足则多事,
威不足则多怒,信不足则多言,
勇不足则多劳,明不足则多察,
理不足则多辩,情不足则多仪。

[译文]

才能不足的人遇事应多加考虑,学识不足的人应多处事多体验,威势不足的人就多些恼怒,诚信不足的人就多些话语,勇气不足的人就多些辛劳,精明不足的人就多加审察,道理不足的人就多些争辩,情分不足的人就多些礼仪。

私恩煦感①,仁之贼也。
直往轻担,义之贼也。
足恭伪态,礼之贼也。
苛察歧疑,智之贼也。
苟约②固守,信之贼也。

[原注]

此五贼者,破道乱政,圣门斥之。后世儒者,往往称之以训世,无识也夫。

[注释]

①煦感:念念不忘。煦,温暖。②苟约:苟且之约。

[译文]

对私恩念念不忘,是对仁的戕害;轻率做事而不负责任,是对义的戕害;外表上装作恭敬,实际上弄虚作假,是对礼的戕害;以苛察为明察而多疑虑,是对智的戕害;总是以苟且之约行事,是对信的戕害。

有杀之为仁，生之为不仁者。
有取之为义，与之为不义者。
有卑之为礼，尊之为非礼者。
有不知为智，知之为不智者。
有违言为信，践言为非信者。

[原注]

陈榕门云：以义理为权衡，则轻重大小之间，看得不爽，行得不错。妇人之仁，匹夫之义，拘谨之礼，穿凿之智，硁硁之信，总为不权衡于义理耳！

[译文]

有只有杀掉他才叫做仁，使之继续存活下去反而不叫做仁的；有只有把他的财物拿过来才能叫做义，把自己的财物赠送给他反而不能叫做义的；有只有卑视他才能叫做礼，对他尊重反而不能叫做礼的；有不知道的叫做智，知道反而不能叫做智的；有说了不算叫做信，实践诺言反而不能叫做信的。

愚忠愚孝，实能维天地纲常，
惜不遇圣人裁成，未尝入室；
大诈大奸，偏会建世间功业，
倘非有英主驾驭，终必跳梁。

[译文]

愚忠愚孝的人，确实能维护天地之间的纲纪伦常，可惜，若未经圣人裁制培养，最终还不能登堂入室。大诈大奸之人，有时候意想不到也会建立世间伟大功业，如果没有英主驾驭，最终会成为跳梁小丑。

知其不可见而遂委心任之者,达人智士之见也;
知其不可为而亦竭力图之者,忠臣孝子之心也。

[原注]

陈榕门云:其知可及,其愚不可及。盖指此种。

[译文]

明知事情办不成功,但是却放下心来,尽力而为,成功不成功,一切顺其自然,这是通达明智之士的见识;明明知道事情不能成功,却仍然绞尽脑汁,千方百计想办法,这是忠臣孝子的诚心。

小人只怕他有才,有才以济之,流害无穷;
君子只怕他无才,无才以行之,虽贤何补?

[译文]

如果是小人,就怕他有才能,因为才能可以帮助他实现野心,从而造成的祸害也将无穷无尽;如果是君子,就怕他没有才能,他没有才能来实现自己的理想,品德虽然高尚又有什么用呢?

摄生（附）

慎风寒，节饮食，是从吾身上却病法；
寡嗜欲，戒烦恼，是从吾心上却病法。

[原注]

养生以养心为主，而养心又在凝神。神凝则气聚，气聚则形全。若日逐劳扰忧烦，神不守舍，则易至衰老，且百病从此生矣。一收视返听，凝神于太虚，无一毫杂思妄念，神入气中，气与神合，则气息自定，神明自来，不过片晌间耳。

[译文]

防止受风着凉，平时吃喝有所节制，这是从自己身体本身免除疾病的方法；减少私欲，戒除烦恼，这是从自己心理上免除疾病的方法。

少思虑以养心气，寡色欲以养肾气，
勿妄动以养骨气，戒嗔怒以养肝气，
薄滋味以养胃气，省言语以养神气，
多读书以养胆气，顺时令以养元气。

[原注]

凡人元气已索，而血肉未溃，饮食起居，不甚觉也。一旦外邪袭之，溢然死矣。不怕千日怕一旦，一旦者，千日之积也。千日可为，一旦不可为也。故慎于千日，正以防其一旦耳。

[译文]

减少思虑烦恼，来保护滋养心气；减少嗜好色欲，来保护滋养肾气；不要轻举妄动，以免伤筋动骨，从而保护滋养骨气；注意不能轻易发火，从而保护滋养肝气；吃喝不要过度，以便保护滋养胃气；平时少说话，以便保护滋养神气；勤奋读书，做到见多识广，以便保护滋养胆气；顺应时令，注意冷暖，以便保护滋养元气。

忧愁则气结，忿怒则气逆，恐惧则气陷，
拘迫则气邪，急遽则气耗。

[原注]

是惟心平气和，斯为载道之器。

[译文]

忧愁会使人的心气郁结不畅；发火会使人的肝气逆向流动；恐惧会使人精神低沉，神气不足；拘迫会使人心气不顺，郁结成疾；急速会使人精气消耗，精疲力竭。

行欲徐而稳，立欲定而恭，
坐欲端而正，声欲低而和。

[原注]

善养气者，常于动中习静，使此身常在太和元气中，久久自有圣贤气象。

[译文]

行走应缓和稳重，站立应坚定而谦恭，坐姿应该端端正正，说话的声音应该低缓而平和。

心神欲静，骨力欲动。

胸怀欲开，筋骸欲硬。

脊梁欲直，肠胃欲净。

舌端欲卷，脚跟欲定。

耳目欲清，精魂欲正。

[译文]

精神保持平和宁静，身体经常坚持运动。胸怀一定要开阔，筋骨一定要强劲有力。脊梁一定要挺直，肠胃一定要干净。舌尖一定要卷起，少说为佳；脚跟一定要站稳，屹立不动。眼睛和耳朵一定要看清听清，自己的良心一定要摆平放正。

多静坐以收心，寡酒色以清心，去嗜欲以养心，

玩古训以警心，悟至理以明心。

[译文]

常静坐多思考以收束自己心中不切实际的想法；不酗酒不贪色以保持自己心灵的纯洁；除去嗜好贪欲严格约束自己保持心灵清正；经常品味古训以提高自己对各种私虑的警觉之心；经常体察万物运动变化的深刻道理做到心中有数。

宠辱不惊，肝木自宁。

动静以敬，心火自定。

饮食有节，脾土不泄。

调息寡言，肺金自全。

恬淡寡欲，肾水自足。

[译文]

受宠受辱一样对待，那么肝部就不会受到损伤；一动一静做到诚敬，那么心神就会安定自若；吃喝有节制，那么脾脏就会康健；不生气、少说话，那么肺部就会得到养护；生活恬淡，清心寡欲，

那么肾脏就不会受到损害，从而保持旺盛活力。

道生于安静，德生于卑退，
福生于清俭，命生于和畅。

[译文]

道生于安静无欲，德生于谦虚不争，福生于清淡俭省，命生于平和顺畅。

天地不可一日无和气，
人心不可一日无喜神。

[原注]

人常和悦，则心气恬而五脏安，昔人所谓养欢喜神。何文端公时，曾有乡人过百岁，公叩其术。答曰："予乡村人，无所知，但一生只是喜欢，从不知忧恼。"此真是养生要诀者。每日胸中一团太和元气，病从何生？

[译文]

天地之间不能一日没有和气，人的心里不能一天没有喜气。

拙字可以寡过，缓字可以免悔，退字可以远祸，苟字可以养福，静字可以益寿。

[原注]

昔人论致寿之道有四：曰慈，曰俭，曰和，曰静。

[译文]

"拙"字可以使人减少过失，"缓"字可以使人免除后悔，"退"字可以使人远离灾祸，"苟"字可以使人积累福泽，"静"字可以使人延年益寿。

毋以妄心戕真心，勿以客气伤元气。

[译文]

不要以虚妄不实之心去伤害纯真的本心,不要以外在邪气去伤害心内的正气。

拂意处要遣得过,清苦日要守得过,
非理来要受得过,忿怒时要耐得过,
嗜欲生要忍得过。

[原注]

无故而以非理相加,其中必有所恃。小不忍,祸立至矣。销铄人莫如忿与欲,欲动水渗,怒甚火炎,故须忍耐,则心火下降,肾水上滋。此吾儒坎离交济功法,何必仙家。

[译文]

遇到不如意的事情和想法应该及时排遣干净,遇到清贫困苦的日子要坚守得住,没有道理的事情不要盲目去做,愤怒的时候应控制自己不能轻易发作,当贪欲萌生的时候应严加约束控制。

言语知节,则愆尤少。
举动知节,则悔吝少。
爱慕知节,则营求少。
欢乐知节,则祸败少。
饮食知节,则疾病少。

[原注]

王龙图食物至精细,食不尽一器,年八旬,颐颊白腻如少年。尝语人云:食取补气,不饥即已,饱则生众疾。至用药物消化,尤伤和也。

[译文]

说话谨慎,懂得节制则过失少;行动小心,少办或不办错事,从而后悔和惭愧的时间少;对自己的爱慕喜好知道节制,那么对别人的欲望要求就会少；对欢乐的事情知道节制，那么自己的祸患就会少；对饮食生活适度有节，那么自己就会不生疾病或者大为减少。

人知言语足以彰吾德，
而不知慎言语乃所以养吾德；
人知饮食足以益吾身，
而不知节饮食乃所以养吾身。

[译文]

人们都知道言语可以彰显自己高尚的道德品质，而不知道言语谨慎正是培养自己这种高尚道德品质的方法和途径。人们都知道饮食可以支撑身体维护生命，而不知道适度节制饮食正是养身健体的方法和途径。

闹时炼心，静时养心，坐时守心，
行时验心，言时省心，动时制心。

[译文]

热闹场合，可以锻炼心灵；安静时候，可以养护心灵；闲坐时候，可以守护心灵；走路时候，可以检验心灵；说话时候，可以反省心灵；活动时候，可以制约心灵。

荣枯①倚伏，寸田②自开惠逆③，何须历问塞翁④？
修短参差，四体自造彭殇⑤，似难专咎司命！

[注释]

①荣枯：草木茂盛为荣，不茂盛为枯。此处的荣枯，主要指事物内部两个对立统一的方面既相互依存又相互对立，互相转化的规律。白居易诗："离离原上草，一岁一枯荣。"②寸田：即心田。道家称心为心田。因心位于胸部

方寸之地，亦称寸心，寸田。③惠逆：即顺逆。惠，此处指顺。④塞翁：语本《淮南子·人间训》："塞翁失马，焉知非福？"⑤彭殇：彭指彭祖，古代长寿者。此处彭即代表长寿。殇指未成年而死，又称夭。因此，彭殇亦指长寿和短命，此处谓寿夭。

[译文]

茂盛和衰败，是相互依存又相互转化的。人们心里明白这一点，就应采取逆来顺受的态度，还有什么必要去询问那个塞外老人什么是祸，什么是福？人的寿命有长有短，参差不齐，这是个人身体本身决定的，似乎完全归责于命运的主宰者也是有失公允的。

节欲以驱二竖①，修身以屈三彭②，
安贫以听五鬼③，息机以弭六贼④。

[原注]

一心为主，百病皆除。

[注释]

①二竖：此指疾病、病魔。《左传·成公十年》："公梦疾为二竖子，曰：'彼良医也，惧伤我，焉逃之！'其一曰：'居肓之上，膏之下，若我何？'医至，曰：'疾不可为也，在肓之上、膏之下，攻之不可，达之不及，药不至焉，不可为也。'"后因称人所患疾病为二竖。②三彭：即三尸。传说三尸姓彭。道家认为三尸居住在人的身体之中，分别为三位作祟之神。上尸叫青姑，专伐人眼；中尸叫白姑，专伐五脏；下尸叫血姑，专伐胃命。她们每三朝，于庚申日专门向天帝报告人的恶行。因此，学仙的人首先绝掉三尸。③五鬼：比喻处境不好，不顺利。韩愈《送穷文》把智穷、学穷、文穷、命穷、交穷这五穷称为五鬼。④六贼：亦称六尘。佛教用语。指色、声、香、味、触、法六者为尘。这六尘与六根相接，从而产生各种嗜欲，导致各种烦恼。在人修养品德的过程中，把六尘视为修身的六贼。

[译文]

节制欲念可以驱除各种疾病，修身养性可以使三彭找不出过失，安贫乐道可以听任五鬼作祟，止息机巧不用诡计可以清除六贼。

衰后罪孽，都是盛时作的；
老来疾病，都是壮年招的。

[译文]

年老之后的罪孽，都是年轻时造成的；老年之时的种种疾病，都是年轻时招惹的。

败德之事非一，而酗酒者德必败；
伤生之事非一，而好色者生必伤。

[原注]

薛文清云：酒色之类，使人志气昏耗。伤生败德，莫此为甚，何乐之有！惟心清欲寡，则气平体胖，乐可知矣！

[译文]

败坏道德的事情很多，而酗酒成性者的品德必定会一天天地坏下去；生活中损害身体的事也很多，而好色之徒的身体则必然受到伤害。

木有根则荣，根坏则枯。鱼有水则活，水涸则死。灯有膏则明，膏尽则灭。人有真精，保之则寿，戕之则夭。

[原注]

冬至一阳生，夏至一阴生，其气甚微，如草木萌生，易于伤伐。倘犯色戒，则来年精神必疲惫。故色欲不节，四时皆伤人，惟二至之前后半月，尤必以绝欲为第一义也。

[译文]

树木有根才会茂盛，如果树根坏了，那么树木很快就会枯死；

鱼类只有在水中才能存活，如果它们离开了水，那么很快就会死掉；灯中有油它才会明亮，如果油烧完了，它就会立即熄灭；人人身上都有真精元气，对它保护得好就能长寿，保护得不好甚至对它加以伤害，那么这个人就会短命夭亡。

敦品类

欲做精金美玉的人品，定从烈火中锻来；
思立揭地掀天的事功，须向薄冰上履过。

[译文]

要想有精金美玉一样的人品，一定得从烈火中千锤百炼而得；要想成就翻天覆地的大业，必须先从危险的薄冰上战战兢兢地小心走过。

人以品为重，若有一点卑污之心，
便非顶天立地汉子；
品以行为主，若有一件愧怍之事，
即非泰山北斗品格。

[译文]

为人应该以品格为重，如果有一点卑贱污秽的私心，便不是顶天立地的汉子；品格应该以行为为主，一生中若做一件对不起良心的事，那么品格就不会像泰山那样崇高如北斗那样明亮。

人争求荣乎，就其求之之时，
已极人间之辱；

人争恃宠乎，就其恃之之时，
已极人间之贱。

[原注]

世之趋炎附势者，大都但知攀附权贵，而其人之邪正不问焉。及事败后，毕竟同归于尽，真为可怜！即使幸而漏网，而以一身名节之重，不思流芳百世，乃甘受党援之污，反致遗臭万年哉！刘念台云：进取一路，诚士人所不废，而得之不得曰有命。人情若不看破，奔走如狂，妄开径窦，呈身之巧，有无所不至者。幸而得之，立身已败，万事瓦解，况求之而未必得乎？真枉做小人也。

[译文]

人们争相追求荣华权势，就在开始追求的时候，就已经受尽了人间的耻辱；人们争相寻找自己的靠山，争取上司的恩宠，就在这种行为开始的时候，就已经开始体验世间低贱和卑躬屈膝。

丈夫之高华，只在于功名气节；
鄙夫之炫耀，但求诸服饰起居。

[原注]

《快书》云：优人登场，有为唐明皇者，下场便不肯与诸优同坐，诸优皆笑之。世之登仕版者，时至则为之，此与逢场作戏，亦复何异？而盛修边幅，炫耀乡里，日岸然肩舆于亲故之门，其不为诸优所窃笑者几希。比拟未免近于刻，但欲为今世之缙绅先生痛下针砭，不得不借此以发其深省，其不省者，尚复何言！

吕新吾云：中高第，做美官，欲得愿足，这不是了却一生事；只是作人不端，或无过可称，而分毫无补于世，则高第美官，反以益君之耻者也。而世顾以此诧市井，盖棺有余愧矣。

刘念台云：士人自初第以至崇阶华庑，同是穿衣，同是吃饭，何曾有半点异常人处？只被闾巷一二愚鄙惊喜奉承。此人不知不觉，不能自主，遂高抬起来，究竟与自己身上，曾有一毫增益否？可为当头一棒！

邹东郭云：问邑之贵，则数高位者以对。问邑之富，则数积财者以对。问邑之人物，则数修德励行、济世范俗者以对。而富与贵不齿焉。故肆志一时者，为轩鹤，为牢豕；尚友千古者，为景星，为乔岳。

[译文]

大丈夫之所以尊严高贵，就在于他有相当的功名和气节；庸俗之人没有什么值得炫耀，最后只得求之于衣饰起居。

阿谀取容，男子耻为妾妇之道；
本真不凿，大人不失赤子之心。

[译文]

阿谀巴结，谄媚取宠，乃是小妾女人侍奉丈夫的办法，男子汉决不会采取；保持天性纯真，不事雕凿，乃是童子之心，大丈夫从生到死，一生不失。

君子之事上也，必忠以敬，其接下也，必谦以和。
小人之事上也，必谄以媚，其待下也，必傲以忽。

[原注]

小人刻刻在势利上讲求，故无常心，如此那得不为君子所恶？

[译文]

君子事奉上司，必然忠实恭敬；君子接待下属，必然谦虚温和。小人事奉上司，必然谄言媚色；小人接待下属，必然傲慢轻忽。

立朝不是好舍人[①]，自居家不是好处士；
平素不是好处士[②]，由小时不是好学生。

[原注]

蒙童之教，大有关系如此。

[注释]

①舍人：官名。周时为主持宫中粮谷之官，后世以为亲近左右之职。至

清始废。②处士：旧时指未做官的读书人。《孟子·滕文公下》："圣王不作，诸侯放恣，处士横议，杨朱墨翟之言盈天下。"

[译文]

在朝廷上不是一个好官员，在家乡就不是一个好处士。平常不是好处士，从小时候就不是一个好学生。

做秀才如处子，要怕人。
既入仕如媳妇，要养人。
归林下如阿婆，要教人。

[原注]

颜光衷云：乡绅，国之望也。家居而为善，可以感郡县，可以风州里，可以培后进，其为功利，比士人百倍。故能亲贤扬善，主持风俗，其上也。即不然，而正身率物，恬静自守，其次也。下此则求田问舍，下此则欺弱暴寡。风之薄也，非所足道矣。俚语云："刀趁利，炉趁热。"此两语误人不浅。夫刀利炉热，用之以干许多好事，此光阴诚不可错过。又争体面三字，最误人。今且以何者为体面？若枉道求官府，辱身贱行，此无体面之甚者也。官府即姑从我，而心轻其为人，此无体面之隐者也。得势以豪乡里，而人阴指曰："此翼虎，不可犯耳。"尚得为体面乎？认得体面真时，便不争体面，而百美集矣。

吕东莱云：士大夫喜言风俗不好，不知风俗是谁做的。身便是风俗，不知去做，如何会得好？讲风俗能就自己身上讲起，便有许多不肯苟且之意。

[译文]

当学生的时候，动作举止应该像一个没有出嫁的姑娘，遇人羞羞答答，畏首畏尾；进入仕途之后，动作举止应该像一位大大方方的年轻媳妇，不仅要处理好公务，还要哺育子女和孝敬老人；归隐山林之后，动作举止应该像一位老婆婆，不仅要严以律己，保持晚节，而且还要教育下一代。

贫贱时，眼中不著富贵，他日得志必不骄；

富贵时，意中不忘贫贱，一旦退休必不怨。

[译文]

贫穷的时候，心中不羡慕富贵，他日显达时必然不会骄傲；富贵的时候，胸中仍有昔日的亲朋好友，一旦致仕必然不会产生埋怨情绪。

贵人之前莫言贱，彼将谓我求其荐；
富人之前莫言贫，彼将谓我求其怜。

[译文]

在有权有势的人面前，不要述说自己地位低下，否则他将会认为我请求他给予提拔；在富有的人面前，不要有任何自己贫困的表示，否则他将会认为我在向他乞求怜悯。

小人专望人恩，恩过辄忘；
君子不轻受人恩，受则必报。

[译文]

小人盼望的总是别人对他施予恩惠，往往是受过之后就会忘记；君子一般不会接受别人恩惠，一受恩惠总是想方设法报答。

处众以和，贵有强毅不可夺之力；
持己以正，贵有圆通不可拘之权。

[原注]

内刚不可屈，而外能处之以和者，所济多矣。方正学云：处俗而不忤者，其和乎？其弊也流而无立。持身而不挠者，其介乎？其弊也厉而多过。介以植其内，和以应乎外，则庶几矣！

[译文]

与众人相处要态度平和，贵在有坚定的信念和不可改移的原则性；对待自己要用道义严格约束，贵在学会变通，保持方法和措施的灵活性。

使人有面前之誉，不若使人无背后之毁；
使人有乍处之欢，不若使人无久处之厌。

[原注]

乍交不为小人所悦，久习不为君子所厌，如是乃可见品。

[译文]

让人得到别人的当面赞扬，不如使人不要遭到别人背后的唾骂；让人刚开始相处时感到欢乐，不如让人没有长久相处产生的厌烦。

媚若九尾狐，巧如百舌鸟，
哀哉羞此七尺之躯！
暴同三足虎，毒比两头蛇，
惜乎坏尔方寸之地！

[译文]

做人如果像九尾狐那样谄媚，像百舌鸟那样阿谀，可悲呀，大丈夫应该为此感到羞耻！做人如果像三足虎那样残暴，像两头蛇那样狠毒，可惜呀，此时你的良心已经完全坏掉！

到处伛偻[1]，笑伊首何仇于天？何亲于地？
终朝筹算，问尔心何轻于命？何重于财？

[原注]

杨升庵《诗话》云："生前枉费心千万，死后空持手一双。"足以唤醒一世。

[注释]

①伛偻（yǔ lǚ）：原指背部弯曲，后引申为对人恭敬从命的样子。贾谊

《新书·官人》:"柔色伛偻。"

[译文]

卑躬屈膝的人到处都是,可笑你的面孔为什么对天冷漠,一眼也不看?为什么对地亲热,总也看不够?一天到晚为自己精打细算,敢问你的心为什么轻视自己的生命?为什么对钱财却是那么重视?

富儿因求宦倾资,污吏以黩货①失职。

[原注]

初起于嫌其所无,卒至于丧其所有。若各泯其贪心,则何夺禄败家之有!

[注释]

①黩货:奢侈腐化,挥金如土,贪得无厌。

[译文]

富有的人为求得一官半职倾尽自家所有的金钱财物;贪官污吏因贪得无厌而丢官罢职。

亲兄弟析箸①,璧合翻作瓜分;
士大夫爱钱,书香化为铜臭。

[原注]

高忠宪公《家训》云:士大夫居闲得财之丑,不减于室女逾墙从人之羞。流俗滔滔,恬不为怪者,只是不曾立志要做人;若要做人,自知男女失节,总是一般。

[注释]

①析箸:犹言分爨,即分家。

[译文]

亲兄弟分家,就像一块完美的玉石被当做瓜一样切成一块一块;士大夫因为爱钱,竟然把书香变成铜臭。

士大夫当为子孙造福，不当为子孙求福。

谨家规，崇俭朴，教耕读，积阴德，此造福也。

广田宅，结姻援，争什一，鬻功名，此求福也。

造福者淡而长，求福者浓而短。

[原注]

究竟非求而得。造福正所以求福，不可不知。

[译文]

士大夫应为子孙造福，不应为子孙求福。严订家规，崇尚俭朴，教育子女勤奋劳动，认真读书，积累阴德，这是为子孙造福。扩大田宅，缔结姻亲裙带关系，争取利益，置买功名，这是为子孙求福。为子孙造福平淡而久远，为子孙求福的做法则是忙碌而短暂。

士大夫当为此生惜名，不当为此生市名。

敦诗书，尚气节，慎取与，谨威仪，此惜名也。

竞标榜，邀权贵，务矫激，习模棱，此市名也。

惜名者，静而休；市名者，躁而拙。

士大夫当为一家用财，不当为一家伤财。

济宗党，广束脩①，救荒歉，助义举，此用财也。

靡苑囿，教歌舞，奢燕会，聚宝玩，此伤财也。

用财者，损而盈；伤财者，满而覆。

[原注]

辱身丧名，莫不由此！求名适所以坏名，名岂可市哉？无论在己在人，义所当用，乃谓之用；义不当用，则谓之伤。有财者可以鉴矣！

[注释]

①束脩：十条干肉。脩，即脯，古代上下亲友之间相互赠献的一种礼物。又因古代十五岁入学，入学必用束脩，后世专指儿童或少年入学，家长专门赠

送给老师的酬金或其他专用礼物。《论语·述而》："自行束脩以上，吾未尝无诲焉。"

[译文]

士大夫珍惜自己一生的名誉是对的，如果为了自己去沽名钓誉则是大错特错。研读诗书，崇尚气节，取舍有道，严修威仪，这些都是珍惜名誉；互相吹捧，攀附权贵，哗众取宠，不分是非，这些都是市买名誉。珍惜自己名誉的人一生悠闲，市买名誉的人浮躁而愚笨。

士大夫应当正确使用钱财，而不是随便挥霍浪费。救济乡党，广施教化，赈济灾荒，扶助义举，这是正当用财；广置苑囿，教习歌舞，大宴宾客，聚集珍宝，这是浪费钱财。正当用钱的人，虽然花去一些钱而收获丰厚；浪费钱财的人，虽积聚了不少钱，然而很快就会挥霍干净。

士大夫当为天下养身，不当为天下惜身。

省嗜欲，减思虑，戒忿怒，节饮食，此养身也；

规利害，避劳怨，营窟宅，守妻子，此惜身也。

养身者，啬而大；惜身者，丰而细。

[原注]

养其身以有为也。似乎爱惜此身，却不知已置此身于无用。直谓之不自爱也可。

张同初先生《却金堂四箴》。

陈榕门云：按《四箴》所云，当为者，即孟子所云，求在我者也；不当为者，即孟子所云，求在外者也。迹虽近似，义实相妨。今一一胪列之，互举之，是非公私，显然可见矣。忆余为诸生时，于官斋屏幛间，曾见此箴，觉有怵于心，而未知其言之切而中也。比来阅历仕途，深尝世故，每见士大夫往往于此四者，辨之不明，遂致误入歧途，贻悔末路。益服先辈格言，切中世病，足发深省；而愧前此失于体认，草草读过也。然则思齐内省，为所当为，不为所不当为。愿与世之君子共勉之。

[译文]

士大夫应当为能担当济世大任造福天下而修养身心，不应当为私利而珍惜生命。省却欲念嗜好，减少思虑，戒除忿怒，节制饮食，这叫做修养身心；避开利害劳苦，营造住宅房舍，守在妻儿身旁，这叫做为私利而惜身。养身的人，既大方又不浪费；为私利只知惜身的人，虽丰裕却十分小气。

处事类

处难处之事愈宜宽,处难处之人愈宜厚,
处至急之事愈宜缓,处至大之事愈宜平,
处疑难之际愈宜无意。

[原注]

撼大摧坚,要徐徐下手,默默留意,久久见功。若攘臂竭力,一犯手自家先败。张子韶云:天下之事,有理有势。理得乘势以行,固属快意;势若一时不能遽顺,则又贵于徐徐应之。惟如是而后为通明,惟如是而后能应事。

杨忠愍公云:欲干天下之事,当思如何下手?如何收煞?事成如何结果?不成落何名目?死生虽不计,毕竟果不徒死否。思之思之,又重思之。

薛文清公云:事才入手,便当思其发脱。又云:应事最当熟思缓处,熟思则得其情,缓处则得其当。

吕新吾云:事见到无不可时,使斩截做,不要留恋。儿女子之情,不足以语办大事者也。又云,计天下大事,只在要紧处一著,留心用力,别个都顾不得。此要紧一著,又要看得明,守得定,才不失轻重之衡。又云:凡酌量天下大事,全要个融通周密,忧深虑远,若粗心浮气,浅见薄识,得其一方,而固执以求胜,以此图久大之业,为治安之计,难矣。又云:处天下事,前面常长出一分,此之谓豫。后面常余出一分,此之谓裕。如此则事无不济,而心有余乐。若扣煞分数做去,必有后悔。又云:做天下好事,既度德量力,又审势择人。专欲难成,众怒难犯。此八字,不独妄动邪为者宜慎;虽以至公无私之心,行正大光明之事,亦须调剂人情,发明事理,俾大家信从,然后动有成,事可久。盖群情多暗于远识,小人不便于私己。群起而坏之,虽有良法,胡成胡久。又云:天下事,只怕认不真;若认得真时,更那管一国非之,天下非之。君子作事,举世惧且疑,而彼确然为之,卒如所料者,先见定也。故要见事后功业,体恤事前议论。事成后,众情自贴。即万一不成,而我为其所当为也,论不得成败。是非,理也;成败,势也。亦有势不必可为,而犹为之者,惟其理而已。

[译文]

处理难以处理的事情,胸怀应当宽广;同难以相处的人相处,行为应当宽厚;处理紧急的事情,在抓紧时间的同时应当舒缓稳妥;处理重大的事情,心态应当平和;处理疑难的事情,不要先入为主,努力做到客观公正。

无事时,常照管此心,兢兢然若有事;
有事时,却放下此心,坦坦然若无事。
无事如有事提防,才可弭意外之变;
有事如无事镇定,方可消局中之危。

[译文]

没事的时候要时时警惕如同有事发生一样;有事的时候反而把心放松,坦坦荡荡,如同事情没有发生似的。平时无事的时候要当有事提防,意外事情发生时才能从容应对;有事时如能像无事时那样镇定,这样才能消除危急的局势。

当平常之日,应小事宜以应大事之心应之。盖天理无小,即目前观之,便有一个邪正,不可忽慢苟简,须审理之邪正以应之方可。及变故之来,处大事宜以处小事之心处之。盖人事虽大,自天理观之,只有一个是非,不可惊惶失措,但凭理之是非以处之便得。

[原注]

刘念台《应事说》云：事无大小，皆有理在。劈头判个是与非，见得是处，断然如此，虽鬼神不避。见得非处，断然不如此，虽千驷万钟不回。又于其中，条分缕析，辨个是中之非，非中之是，似是之非，似非之是，从此下手，沛然不疑，所以动有成绩。又凡事有先著，当图难于易，为大于细。有要著一著，胜人千万著，失此一著，满盘败局。又有先后著，如低棋以后著为先著，多是见小欲速之病。又有了著，恐事至八九分便放手，终成决裂也。盖见得是非后，又当计成败，如此，方是有用学问。学者遇事不能应，总是此心受病处。只有炼心法，更无炼事法。炼心之法，大要只是胸中无一事而已。无一事，乃能事事，此是主静工夫得力处。又云：多事不如少事，省事不如无事。

[译文]

在平常时候，处理小事也应该用处理大事的心态去处理。因为天理无论大小，就目前看，便有一个邪与正的问题。因此，不能怠慢苟简，为了弄清邪正，必须审视情理。一旦变故来临，处理大事则应该用处理小事的心态处理。虽然人事重大，而从天理的角度看，仍然只是一个是与非的问题。处理时不仅不能惊慌失措，而应泰然自若，只要能依据天理的是非标准加以处置就行。

缓事宜急干，敏则有功；
急事宜缓办，忙则多错。

[原注]

事有必不可已者，便须早做。日挨一日，未必后日之能如今日也。若营父母远大之事，尤当吃紧。刘真斋云：事属道义方可做，然却须宽绰细密真实忍耐，一一从头至尾，节次调停，方克有济。否则匆忙疏漏必将虚矫急迫，反害义矣。

[译文]

对待可以缓办的事情抓紧时间快办，因为敏捷可以立见功效；

急迫的事情处理时可以缓慢些,因为匆忙来不及慎重考虑往往会做出错误处置。

不自反者,看不出一身病痛;
不耐烦者,做不成一件事业。

[原注]

只一耐烦心,天下何人不处得?天下何事不了得?

[译文]

不自我反省的人,看不到自己一身的毛病;没有耐心的人,做不成一件正经事业。

日日行,不怕千万里;
常常做,不怕千万事。

[原注]

陈榕门云:数语中有不息、渐进二意。

[译文]

天天走路,不怕路远,哪管它有千万里之遥;天天做事,不怕事繁,哪管它有千万件之多。

必有容,德乃大;必有忍,事乃济。

[译文]

必须有宽容之心,品德才会高尚;必须有忍耐之心,才能把事情做好。

过去事,丢得一节是一节;
现在事,了得一节是一节;
未来事,省得一节是一节。

[原注]

白香山诗云:"我有一言君记取,世间自取苦人多!"今试问劳扰烦苦之人,此事亦尽可已?果属万不可已者乎?当必恍然自悟矣。

[译文]

对于过去的事,能够忘掉一件就是一件;对于当前的事情,尽量去做,能做一件就是一件;对于将来的事,则是越省越好,能少做一件就是一件。

强不知以为知,此乃大愚;
本无事而生事,是谓薄福。

[译文]

自己不知道的事情硬要装作知道,这是人世间最愚蠢的行为;本来没有什么事情而偏要招惹是非,这是没有福分的表现。

居处必先精勤,乃能闲暇;
凡事务求停妥,然后逍遥。

[原注]

吕新吾云:世人通病,先事体怠神昏,临事手忙脚乱,既事意散心安,此事之贼也,不可不痛戒之。凡事豫则立,此五字极当理会。

[译文]

为人必须精于勤奋,才会于百忙中找出空闲时间;凡事只有处理妥当,然后才能逍遥自在。

天下最有受用,是一闲字,
然闲字要从勤中得来;
天下最讨便宜,是一勤字,
然勤字要从闲中做出。

[原注]

若一懈怠，诸事都废，方寸中定有许多牵挂，何处讨个闲来？若一扰乱，动手即错，一件事决费无数周折，勤也济不得事。

[译文]

天下最可受用的是一个闲字，然而闲暇最终还是要从勤奋中得来；天下最能讨到便宜的是一个勤字，然而勤奋是从闲暇中挤出来的。

自己做事，切须不可迂滞，
不可反复，不可琐碎；
代人做事，极要耐得迂滞，
耐得反复，耐得琐碎。

[原注]

处事大忌急躁，急躁则先自处不暇，何暇治事？

[译文]

自己做事，应快捷利落，切不可迟缓拖沓，更不要反反复复，琐琐碎碎，时间浪费无数；替别人做事则相反，不仅需要耐得住迟缓拖沓，而且还需要耐得住反反复复和琐琐碎碎。

谋人事如己事，而后虑之也审；
谋己事如人事，而后见之也明。

[原注]

吕新吾云：人只是怕当局，当局者之十，不足以当旁观者之五。智虑以得失而昏也，胆气以得失而夺也。只没了得失心，则志气舒展。此心与旁观者一般，何事不济！

陈榕门云：恒言是非得失，不知是非者公，而得失者私也。是非者理，而得人者数也。得失之心重，则明者亦昏，勇者亦怯矣！

[译文]

办别人的事像办自己的事一样，就会考虑得周详全面；办自己的事像办别人的事一样，就会看清楚其中的是非曲直。

无心者公，无我者明。

[原注]

当局之君子，不如旁观之众人者，以有心有我故也。

[译文]

没有私心的人公正，忘记自我的人廉明。

置其身于是非之外，而后可以折是非之中；
置其身于利害之外，而后可以观利害之变。

[译文]

把自己置身于是非之外，才可以客观公正地对是非给予评判；把自己置身于利害之外，才可以看清利害变化的始末。

任事者，当置身利害之外；
建言者，当设身利害之中。

[原注]

置身于外，则无所顾忌；设身其中，则平易近人。二语各极其妙。

[译文]

负责处理事情的人，应该置身于利害关系之外；提出建议的人，应该设身处地于利害之中。

无事时，戒一偷字；
有事时，戒一乱字。

[原注]

吕新吾云：有涵养人，心思极细；虽应仓猝，而胸中依然暇豫，自无粗疏之病。心粗便是学不济处。

[译文]

没事的时候注意戒除偷懒，有事的时候不能陷入忙乱。

将事而能弭，遇事而能救，
既事而能挽，此之谓达权，
此之谓才。
未事而知来，始事而要终，
定事而知变，此之谓长虑，
此之谓识。

[原注]

陈榕门云：如此讲才，方不是机巧之流；如此讲识，方不是揣测之流。

[译文]

事情将要发生然而还没有发生的时候能够消除，遇到突发之事而能采取补救措施，事情已经发生了而且能够挽回，这就叫做懂得权宜应变，这就叫做才能。

事情还没有发生就预知到它必将要来临，事情刚一开始就能预测出它的未来结局，既成事实之后还能懂得它的变化，这就叫考虑长远，这就叫卓有见识。

提得起，放得下，算得到，
做得完，看得破，撇得开。

[原注]

非大有识力人不能，然亦要习学。

[译文]

做人要有器量，遇事能拿得起，放得下，猜算得到。做事要做得完美，看事要一眼能看穿真相，麻烦事想撒即撒得开。

救已败之事者，如驭临崖之马，休轻策一鞭；
图垂成之功者，如挽上滩之舟，莫少停一棹。

[译文]

想挽救已经失败的事，就如同驾驭临近悬崖边沿的马，万不能轻策一鞭；要办成即将成功的事，就如同拉船上沙滩，万不能少划一桨。

以真实肝胆待人，事虽未必成功，
日后人必见我之肝胆；
以诈伪心肠处事，人即一时受惑，
日后人必见我之心肠。

[译文]

以真诚之心待人，事情虽然未必办成，日后别人也会知道我的诚意；用欺诈之心处理事情，别人虽然一时受惑，日后别人也会识破我的狡诈和虚伪。

天下无不可化之人，但恐诚心未至；
天下无不可为之事，只怕立志不坚。

[原注]

汤潜庵云：天下之事有真事，须天下之人有真心；无真心而做真事，必不得之数也。

[译文]

天下没有不可以教育的人，怕就怕教育者的诚心未用够用足；天下没有做不成的事，怕就怕做事者的志向不坚定。

处人不可任己意，要悉人之情；
处事不可任己见，要悉事之理。

[原注]

陈榕门云：悉人之情，则于己方为得理；悉事之理，则于事方克有济。不是漫无主见，终日向人觅生活也。

[译文]

与人相处千万不能任性，要了解人情；与人交往不能固执，要明白事理。

见事贵乎明理，处事贵乎心公。

[原注]

理不明，则不能辨别是非；心不公，则不能裁度可否。惟理明心公，则于事无所疑惑，而处得其当矣。

[译文]

看待事情的可贵处，在于明白事理；处理事情的可贵处，在于内心公正无私。

于天理汲汲者，于人欲必淡；
于私事耽耽者，于公务必疏；
于虚文熠熠者，于本实必薄。

[译文]

一心追求天理的人，对于人的欲望必然淡薄；整天为私事奔波的人，处理公务必然粗心；追求外表打扮的人，内在修养必然不够。

君子当事，则小人皆为君子，
至此不为君子，真小人也。
小人当事，则中人皆为小人，

至此不为小人，真君子也。

[译文]

君子执政，则小人都能变成君子，在这种情况下仍然不能成为君子，则是真正的小人；小人当政，则才能中等的人都变成了小人，在这种情况下仍不做小人的，则是真正的君子。

居官先厚民风，处事先求大体。

[译文]

当官应先改变民风，使之由狡薄变为淳厚；处理事情，应先了解基本情况，掌握事情的实质性特点，然后进行恰当处理。

论人当节取其长，曲谅其短；
做事必先审其害，后计其利。

[译文]

议论一个人的品格高低，首先应先看到他的长处和优点，曲护体谅他的短处；如果是做一件事，则首先考虑它的坏处，然后再分析做成后有哪些好处。

小人处事，于利合者为利，于利背者为害；
君子处事，于义合者为利，于义背者为害。

[原注]

刘念台云：学莫先于义利之辨。义利二者，正人禽分途处也。义也者，天下之公也；利也者，一己之私也。人才为一己起见，便生出许多占便宜心。及夫辞受、取与、出处、死生之际，总无是处。利，利也，名亦利也。如以利道德事功，皆利也。为人子者，有所利焉而为孝，其孝必不真；为人臣者，有所利焉而为忠，其忠必不至。充其类，便是弑父与君。故曰：差之毫厘，谬以千里。吃紧在破除乡原窠臼，乡原正喻利之深者，故圣人恶之。吾侪学问，只从念头处讨分晓，见得义当为，便必为，义不当为，便必不为，是辨之最明处。凡作事，第一念为自己思量，第二念便须替他人筹算。若彼此两益，或于己有益，于人无损，皆可为之。若益于己者十之九，损于人者十之一，即宜踌躇。若人与己损益相半，断宜撒手。况益全在己，损全在人者乎？若损己以益人，尤为上等君子。

[译文]

小人做事，与利益一致且相合者则共同谋利，违背他的利益的，小人则做损害他人利益的坏事；君子做事与其相反，与道义一致且相合者则共同为利，如果是违背道义的事，虽对个人有利，亦断然不为。

只人情世故熟了，甚么大事做不到？
只天理人心合了，甚么好事做不成？
只一事不留心，便有一事不得其理；
只一物不留心，便有一物不得其所。

[原注]

陈榕门云：此人情，在公一边看。熟者，体察而熟悉之。不是揣摩世故，曲徇人情。

心头有一分检点，自有一分得处。学者只事事留心，一毫不苟，其德业之进也，如流水矣。

遇事不可轻忽，虽至微至细者，皆当慎重处之。及事将完，越要加慎、加勤、加宽。

[译文]

只要人情世故熟悉，还有什么大事不能办到？只要不违背天理人心，还有什么好事不能做成？只要有一件事不留心，就会有一件事不明其中的道理；只要有一件东西不留心，就会有一件东西不能适得其所。

事到手，且莫急，便要缓缓想；

想得时，切莫缓，便要急急行。

[原注]

陈榕门云：缓字是详慎，不是怠缓。急字是果决，不是急遽。周公仰而思之，夜以继日；幸而得之，坐以待旦。正是此意。

[译文]

事情来了，不要着急，要平心静气地想好解决的办法；等解决的办法想好了，就要抓紧时间去办，越快越好。

事有机缘，不先不后，刚刚凑巧；

命若蹭蹬，走来走去，步步踏空。

[原注]

张梦复云：子曰：不知命，无以为君子。《集注》：人不知命，则见害必避，见利必趋，何以为君子？余少奉教于姚端恪公，服膺斯语。每遇疑难踌躇之事，辄依据此言，稍有把握。古人言居易以俟命，又言行法以俟命。人生祸福荣辱得丧，自有一定命数，确不可移。审此则害宜避，而有不能避之害；利可趋，而有不必趋之利。利害之见既除，而为君子之道始出。此为字甚有力，既知利害有一定，则落得做好人也。权势之人，岂必与之相抗以取害？到难于相从处，亦要内不失己。果谦和以谢之，宛转以避之，彼亦未必决能祸我。即祸我，亦命数宜然，又安知委曲从彼之祸，不更烈于此也？使我为州县官，决不用官银以媚上官。安知用官银之祸，不更甚于上官之失欢也？昔者米脂令边君，掘李贼之祖坟，贼破京师后，获边君置军中，欲甘心焉。挟至山西，以二十人守之，边君夜遁，后复为州守。自著《虎吻余生记》记之。李贼杀人数十万，究不能杀一边君，死生有命，宁不信欤？予官京师日久，每见人之数应为此官，而其时本无此一缺，有人焉，竭力经营，干办停当，而此人无端值之。如此者不一而足，此亦举世之人共知之，而当局往往迷而不悟。其中之求速反迟，求得反失，彼人为此人而谋，此事因彼事而坏，颠倒错乱，不可究诘。人能将耳目闻见之事，平日体察，亦可消许多妄念也。朱子云：今人必要算到有利无害处,天下事那里被你算得尽?

[译文]

一件事情之所以会在此时此地发生,是需要一定条件一定机缘的,不然,这些条件就不会不早不晚,刚刚凑巧一起发生;如果命运使你蹭蹬失意,不管你走到哪里,都会步步踏空。

接物类

事属暧昧,要思回护他,
著不得一点攻讦的念头;
人属寒微,要思矜礼他,
著不得一毫傲睨的气象。

[译文]

对于别人的隐私,应该想方设法进行保护,不能有任何利用其隐私对他进行攻击或者诬陷的念头;对于处境贫寒地位低下的人,应该想方设法尊敬礼待,不能显示出一点傲慢骄横看不起人的样子。

凡一事而关人终身,纵确见实闻,不可著口;
凡一语而伤我长厚,虽闲谈酒谑,慎勿形言。

[原注]

结冤仇,招祸害,伤阴骘,皆由于此。至谈闺门中丑恶,尤触鬼神之怒,切戒!

[译文]

对关系到别人一生的事情,哪怕是自己亲眼目睹耳闻,也不能说出来;不管什么话,只要有损于自己的敦厚品格,即使喝酒闲谈，也要谨慎小心，千万不能泄漏出去。

严著此心以拒外诱，须如一团烈火，遇物即烧；
宽著此心以待同群，须如一片阳春，无人不暖。

[译文]

严筑自己心灵的围墙，以抗拒外界邪恶事物的诱惑，应当像一团烈火那样，遇到外来的污秽立即将其焚毁；对于自己的朋友，必须要宽宏大量，应当像一片明媚的阳光，使人人都能感受到春天般的暖意。

待己当从无过中求有过，非独进德，亦且免患；
待人当于有过中求无过，非但存厚，亦且解怨。

[译文]

对待自己要严格，应当在没有缺点的情况下找出缺点，这样做不只是为了修养品德，而且也能免除祸患；对待别人应当宽容，平时要从他的缺点中找出优点，这样做不只是厚道，而且还能化解怨恨。

事后而议人得失，吹毛索垢，不肯丝毫放宽，试思己当其局，未必能效彼万一；
旁观而论人短长，抉隐摘微，不留些须余地，试思己受其毁，未必能安意顺承。

[原注]

先哲云：事后论人，局外论人，是学者大病。事后论人，每将智者说得极愚；局外论人，每将难事说得极易。二者皆从不忠不恕生出。

[译文]

作事后诸葛亮，议论别人得失，吹毛求疵，点滴不肯放过，试想如果自己是他，恐怕做不到别人的万分之一；作为旁观者，在一旁议论别人的长短，对别人的隐私明察秋毫，不留余地，试想如果自己受了别人的诽谤，未必能平心静气地面对。

遇事只一味镇定从容，虽纷若乱丝，终当就绪；
待人无半毫矫伪欺诈，纵狡如山鬼，亦自献诚。

[译文]

一旦遇到麻烦，只要始终能镇定从容，即使事乱如麻，最终也能理出头绪；待人没有一点虚假欺骗，即使狡猾得像山鬼一样的人，也会献出诚意。

公生明，诚生明，从容生明。

[原注]

公生明者，不蔽于私也；诚生明者，不杂以伪也；从容生明者，不淆于惑也。舍是无明道矣。

[译文]

公正能使人明白事理；诚实能使人明白事理；从容不迫也能使人明白事理。

人好刚，我以柔胜之。
人用术，我以诚感之。
人使气，我以理屈之。

[译文]

他是个性格刚强的人，我就用柔弱来制服他。他是个爱施心计的人，我就用诚实和善意来感化他。他是个喜欢动怒，爱发脾气的人，我就用实实在在的道理耐心地说服他。

柔能制刚，遇赤子而贲、育失其勇①；
讷能屈辩，逢喑者而仪、秦拙于词②。

[注释]

①赤子：婴儿。贲（bēn），即孟贲，战国时勇士。育，即夏育，亦战国时勇士。②仪、秦：即张仪、苏秦，皆古代辩士。

[译文]

柔能克刚，所以古代的大力士孟贲、夏育遇到小孩子时，就像力量完全消失一样，不再有用武之地；不擅长口辩的人能制服天下辩士，即使张仪、苏秦这样的辩士，遇到沉默的人，他们的辩才也无法展示。

困天下之智者，不在智而在愚。
穷天下之辩者，不在辩而在讷。
伏天下之勇者，不在勇而在怯。

[译文]

能够难倒天下既聪明又智慧的人的，不在于聪明和智慧而是愚笨和无知；能够使天下辩士理屈辞穷的，不在于善辩而是木讷和沉默；能够降服天下勇士的，不在于有超人的勇力而是弱小和怯懦。

以耐事了天下之多事；
以无心息天下之争心。

[译文]

以忍耐之心来了却天下麻烦事，用与天下无争的公心来平息天下私欲横流的纷争之心。

何以息谤？曰无辩。
何以止怨？曰不争。

[译文]

怎样才能平息别人的毁谤？即不去辩白；怎样才能消除别人的怨恨？即不去理睬。

人之谤我也，与其能辩，不如能容；
人之侮我也，与其能防，不如能化。

[译文]

有人毁谤我，与其与他争辩，不如予以宽容；别人侮辱我，与其提防着他，不如把怨恨加以化解。

是非窝里，人用口，我用耳；
热闹场中，人向前，我落后。

[原注]

人皆扰扰，我独安安，此是何等襟度。

[译文]

身在是非窝里，别人用嘴说，我用耳朵听；身在热闹场合，别人争着向前，我则默默后退。

观世间极恶事，则一喑一聩，尽可优容；
念古来极冤人，则一毁一辱，何须计较！
彼之理是，我之理非，我让之；
彼之理非，我之理是，我容之。

[原注]

吕新吾云：两君子无争，相让故也。一君子一小人无争，有容故也。争者，两小人也。两相动气，一对小人，一般受祸。

陈榕门云：一时之名利得失，一事之意见取舍，原不必定踞胜著。至于国家大事，伦常大节，又当别论。

[译文]

同人间极坏的事比，一点过错，一点邪恶，都可以宽容；想想历史上古往今来有多少蒙冤受屈的人，别人的一些诽谤，一些侮辱有什么可计较的呢！你有理，我无理，我让着你；你无理，我有理，我宽容你。

能容小人，是大人；
能培薄德，是厚德。

[译文]

能容忍小人的人，是胸襟宽广的君子；能帮助品行差的人，是品德高尚之人。

我不识何等为君子，但看每事肯吃亏的便是；
我不识何等为小人，但看每事好便宜的便是。

[原注]

古今教人做好人，只十四字，简妙真切。曰："君子落得为君子，小人枉费为小人。"盖富贵贫贱，自有一定命数，做君子不曾少了分内，做小人不曾多了分内。落得者，犹言拾得，言极其便宜也。枉费者，犹言折本，言极其吃亏也。林退斋临终，子孙环跪请训。先生曰：无他言，尔等只要学吃亏。自古英雄，只为不肯吃亏，害了多少事。

[译文]

我看不出什么样的人是君子，但只要看一下他平时遇到事情经常愿意吃亏的便是君子；我不知道什么样的人是小人，但只要看一下他平时遇到事情经常爱占便宜的便是小人。

律身惟廉为宜，处世以退为尚。

[原注]

二者乃崇德安身之道也。

[译文]

约束自己以廉洁为好,待人接物以退让为高。

以仁义存心,以勤俭作家,以忍让接物。

[原注]

张梦复训子云:古人有言,终身让路,不失尺寸。老氏以让为贵。左氏曰:让,德之本也。处里闾之间,信世俗之言,不过曰渐不可长,不过曰后将更甚,是大不然。人孰无天理良心?是非公道,揆之天道,有满损虚益之义;揆之鬼神,有亏盈福谦之理。自古只闻忍与让,足以消无穷之灾悔;未闻忍与让,反以酿后来之祸患也。欲行忍让之道,先须从小事做起。余曾署刑部事五十日,见天下大讼大狱,多从极小事起。君子谨小慎微,凡事只从小处了。余生平未尝多受小人之侮,只有一善策能转湾早耳。每思天下事,受得小气,则不至于受大气;吃得小亏,则不至于吃大亏。此生平得力之处。凡事最不可想占便宜。便宜者,天下人之所共争也。我一人据之,则怨萃于我矣;我失便宜,则众怨消矣。故终身失便宜,乃终身得便宜也。此余数十年阅历有得之言,其遵守之毋忽。

[译文]

心里不能没有仁义,持家不能不勤俭,待人接物不能不忍让。

径路窄处,留一步与人行;
滋味浓底,减三分让人尝。
任难任之事,要有力而无气;
处难处之人,要有知而无言。

[译文]

道路狭窄的地方,要留下一步以便让别人通过;味道特别浓郁的,应当留一些以便别人来尝。处理难以处理的事情,应当使出最大力量而没有任何怨气;与不好相处的人相处,应心里明白而嘴里不说。

穷寇不可追也，遁辞不可攻也，贫民不可威也。

[译文]

穷途末路的敌人不要强追，支支吾吾的话不去深究，生活贫穷的人不要逼迫。

祸莫大于不仇人，而有仇人之辞色；
耻莫大于不恩人，而作恩人之状态。

[译文]

一个人最大的祸患是同人无仇，却做出一副仇人似的言语神色；一个人最大的羞耻是没有施恩于人，却装出一副恩人的样子。

恩怕先益后损，威怕先松后紧。

[原注]

则恩反为仇，前功尽弃；则管束不下，反招怨怒。

[译文]

恩惠最怕开始对人有利，后来对人有害；威严最怕开始时松，后来变紧。

善用威者不轻怒，善用恩者不妄施。

[原注]

陈榕门云：恩威乃治世大权，自上及下，离此二字不得。一不慎重，威不足惩，恩不足劝，悔之何及！又云：人知威胜之弊，而不知恩胜之害。威胜者，可求以恩；恩胜者，可制以威。用恩威者，可以鉴矣！

[译文]

善于用威的当权者不轻易发怒；善于施恩的人不轻易给人恩惠。

宽厚者,毋使人有所恃;
精明者,不使人无所容。

[原注]

陈榕门云:宽厚而权常在己,则人无所恃;精明而体贴人情,则人有所容。此中有大学问、大经济。使人敢怒而不敢言者,便是损阴骘处。

[译文]

宽厚的人,不会使人有所倚恃;精明的人,不会使人无地自容。

事有知其当变,而不得不因者,善救之而已矣;
人有知其当退,而不得不用者,善驭之而已矣。

[译文]

知道事情将要发生变化,而不得不顺应其势的人,只是善于补救罢了;知道某个人应该退职,而不得不任用他的人,只是善于驾驭罢了。

轻信轻发,听言之大戒也;
愈激愈厉,责善之大戒也。

[原注]

吕新吾云:水激横流,火激横发,人激乱作。君子慎其所以激者。愧之,则小人可使为君子;激之,则君子可使为小人。激之而不怒者,非有大量,必有深机。

[译文]

对别人的话轻易相信,或者轻易发火,这是听人说话的最大忌讳;劝人行善不能过于激烈,越激烈越严厉,越是难以解决,这是劝说别人的大忌。

处事须留余地，责善切戒尽言。

[原注]

曲木恶绳，顽石恶攻，责善之言，不可不慎也。

吕新吾云：责善要看其人何如。又当尽长善救失之道，无指摘其所忌，无尽数其所失，无对人，无峭直，无长言，无累言。犯此六戒，虽忠告，非善道矣。

又云：论人须带三分浑厚，非直远祸，亦以留人掩盖之路，触人悔悟之机，养人体面之余，犹天地含蓄之气也。

[译文]

处理事情应留有余地，劝人改过从善不要把话说尽。

施在我有余之惠，则可以广德；

留在人不尽之情，则可以全交。

[原注]

陈榕门云：至理名言，可为涉世龟鉴。

[译文]

尽我的能力去帮助应该帮助的人，就可以把自己的德行提高一个层次；把深厚纯真的情意留给对方，则朋友之间的友情可以天长地久。

古人爱人之意多，故人易于改过，

而视我也常亲，我之教益易行；

今人恶人之意多，故人甘于自弃，

而视我也常仇，我之言必不入。

[原注]

陈榕门云：虽烈日严霜，其中原有一段煦苏发育之意，故受者易入。人之为教，何以异此？凡劝人，不可遽指其过，必须先美其长。盖人喜则言易入，怒则言难入也。善化人者，心诚色温，气和词婉。容其所不及，而谅其所不能；恕其所不知，而体其所不欲。随事讲说，随时开导。彼乐接引之诚，而喜所好；感督责之宽，而愧其不才。人非木石，未有不长进者。我若嫉恶如仇，彼亦趋死若鹜，虽欲自新，而不可得。哀哉！

[译文]

古人教导别人要有自重自爱之心，因此有过失的人乐于改过自新，他们亲近教导者，那么教化就易于推行；今人教导别人不是出于真心，讨厌的情绪多，所以接受教化的人就自暴自弃，仇视教导者，那么教育对方的话就很难被接受。

喜闻人过，不若喜闻己过；
乐道己善，何如乐道人善！

[原注]

陈榕门云：同一闻过道善之事，就人己间易地出之，便是圣狂之别。世之人喜闻人过，而恶闻己过；乐称己善，而恶称人善。试思这个念头，是君子乎？是小人乎？

[译文]

喜欢打听别人的过失缺点，不如喜欢了解自己有什么过失缺点；乐于叙说自己的善行优点，不如乐于叙说别人的善行优点。

听其言，必观其行，是取人之道；
师其言，不问其行，是取善之方。

[原注]

师其言者，为其言之有益于我耳！苟益于我，人之贤否奚问焉？衣敝枲者市文绣，食糟糠者市梁肉，将以人弃之乎？

[译文]

不光听人怎么说，还必须观察这个人的行动，这是选拔人才的方法；学习别人所说的话，不过问他的行为，这是选择善言善行的方法。

论人之非，当原其心，不可徒泥其迹；
取人之善，当据其迹，不必深究其心。

[原注]

吕新吾云：论人情，只向薄处求；说人心，只从恶边想。这是私而刻底念头，非长厚之道也。

[译文]

谈论别人的毛病，应当探究他的原来动机，不能仅仅局限他的行为；吸取别人的长处，应当依据他的具体行为，不必对其用心进行深究。

小人亦有好处，不可恶其人，并没其是；
君子亦有过差，不可好其人，并饰其非。

[译文]

小人也有长处，不能因为讨厌这个人，连他的长处也加以否定；君子也有过失，不能因为喜欢这个人，而对他的过失也进行掩饰。

小人固当远，然断不可显为仇敌；
君子固当亲，然亦不可曲为附和。

[原注]

先哲云：不得已而与小人居，须要外和吾色，内平吾心，决无苟且之理。又云：觉人之诈，不形于言；受人之侮，不动于色。此中有无穷意味，亦有无限受用。

[译文]

小人固当远离，但是不能直接把他视为敌人；君子应当亲近，但也不可以丧失原则违心迎合。

待小人宜宽，防小人宜严。
[原注]
待君子易，待小人难，待有才之小人则更难，待有功之小人则益难。小人有功，可优之以赏，不可假之以权。
[译文]
对待小人应当宽容，防范小人应当严上加严。

闻恶不可遽怒，恐为谗夫泄忿；
闻善不可就亲，恐引奸人进身。
[译文]
听说恶人恶事不要马上发火，以防喜欢进谗言的人加以利用，以泄私愤；听说好人好事不可立即亲近，以防奸诈之徒弄虚作假，乘隙而入。

先去私心，而后可以治公事；
先平己见，而后可以听人言。
[译文]
私心消除之后，然后才可以处理公事；心里成见消除之后，然后才可以听进去别人的话。

修己以清心为要，涉世以慎言为先。
[译文]
修养自己的身心，要抓住清心寡欲这个要点；处事首先应做到谨慎，每说一句话都要深思熟虑。

恶莫大于纵己之欲，祸莫大于言人之非。

[原注]

施之君子，则丧吾德；施之小人，则杀吾身。

[译文]

罪恶莫大于放纵自己的欲望，祸患莫大于揭露别人的短处。

人生惟酒色机关，须百炼此身成铁汉；
世上有是非门户，要三缄其口学金人①。

[注释]

①金人：铜铸的人像，喻慎言之人。据《孔子家语·观周》："孔子观周，遂入太祖后稷之庙，庙堂右阶之前有金人焉。三缄其口，而铭其背曰：'此古之慎言人也。'"

[译文]

人生的道路上有许多酒色陷阱，自己必须修行成不受诱惑的铁汉，才会不掉进深渊；世界上有许多是非的人和事，只有像金人那样三缄其口，才可以免除灾患。

工于论人者，察己常阔疏；
狃于讦直者，发言多弊病。

[译文]

喜欢论人是非的人，往往省察自己粗略疏忽；习惯于攻击正直之士的人，要他不说错话则是不可能的。

人情每见一人，始以为可亲，
久而厌生，又以为可恶，
非明于理而复体之以情，未有不割席者；
人情每处一境，始以为甚乐，

久而生厌,又以为甚苦,
非平其心而复济之以养,未有不思迁者。

[译文]

人情往往是这样的,刚开始交往时觉得亲切,时间长了,就会产生厌烦之心,又觉得可恶,不是明白事理又能体察人情的人,没有不割席断交的;人情往往是这样,每当你身处一种新的境地时,开始以为快乐,时间长了就会产生厌烦之心,又感到非常苦恼,如果不是心平气和又不断修养德行的人,没有不想再换一个新的地方的。

观富贵人,当观其气概,
如温厚和平者,则其荣必久,而其后必昌;
观贫贱人,当观其度量,
如宽宏坦荡者,则其福必臻,而其家必裕。

[译文]

观察富贵的人,应该先看他的气度,如果温厚平和,那么他的荣华富贵必然长久,后代必然昌盛;观察贫贱的人,应当先看他的器量,如果宽宏坦荡,那么他的福气必定来临,他的家境一定也会富裕起来。

宽厚之人,吾师以养量。
缜密之人,吾师以炼识。
慈惠之人,吾师以御下。
俭约之人,吾师以居家。
明通之人,吾师以生慧。
质朴之人,吾师以藏拙。
才智之人,吾师以应变。

缄默之人，吾师以存神。

谦恭善下之人，吾师以亲师友。

博学强识之人，吾师以广见闻。

[译文]

　　遇到性情宽厚的人，我就学习他的修养度量；遇到言行谨慎周密的人，我就学习他的练达与见识；遇到慈祥多恩的人，我就学习他的仁爱与慈祥；遇到勤俭节约的人，我就学习他的持家思想；遇到明白通理之人，我就学习他的智慧与知识；遇到纯朴之人，我就学习他的藏而不露的才艺；遇到有才有智的人，我就学习他的因时通变灵活处事；遇到缄默不言的人，我就学习他三缄其口从不泄密的本事。遇到谦虚恭谨善于待下的人，我把他当做我学习亲近师友的榜样；遇到博闻强记的人，我就认真向他学习以增长见识。

居视其所亲，富视其所与，达视其所举，

穷视其所不为，贫视其所不取。

[原注]

　　推此言也，可以取友，可以延师，可以联姻，可以荐士，可以听言，并自己可以立心制行之道，均由此五者得之矣。

[译文]

　　居家，看他所亲近的人怎么样；如果他很富有，看他帮助救济的都是些什么人；如果他地位显达，看他举荐的都是些什么人。处境困难，看他的具体行为，已经做了些什么事，不做什么事；家境贫穷，看他什么收取，什么不收取。

取人之直，恕其戆。

取人之朴，恕其愚。

取人之介，恕其隘。

取人之敬,恕其疏。

取人之辩,恕其肆。

取人之信,恕其拘。

[原注]

所谓人有所长,必有所短也。宜略短以取长,不可忌长以摘短。

[译文]

学习人的直爽的性格时,就要宽恕他的憨痴;学习人的纯厚朴实时,就要宽恕他的愚笨;学习人的耿介时,就要宽恕他狭隘的一面;学习人的恭敬时,就要宽恕他疏漏的一面;学习人的辩才时,就应宽恕他放肆的一面;学习人的诚信品德时,就要宽恕他拘谨的一面。

遇刚鲠人,须耐他戾气。

遇骏逸人,须耐他妄气。

遇朴厚人,须耐他滞气。

遇佻达人,须耐他浮气。

[原注]

刘直斋云:凡与人交,不可求全责备,只该略短取长。譬如沙中炼金,所重在金。则一星之金,亦在所取,而忘其沙之多寡。苟所恶在沙,虽有金亦不见矣!

[译文]

遇到刚强耿直的人,应忍受住他的暴躁;遇到俊逸潇洒的人,应忍受住他的狂妄;遇到纯朴厚道的人,应忍受住他的迟顿;遇到佻达轻薄之人,应忍受住他的虚浮。

人褊急,我受之以宽宏;

人险仄,我平之以坦荡。

[原注]

此炎热中，投清凉散也。

[译文]

遇到狭隘急躁的人，我用宽宏大量去接受他；遇到险诈之人，我用坦荡之心对待他。

奸人诈而好名，他行事有确似君子处；
迂人执而不化，其决裂有甚于小人时。

[原注]

我先别其为何如人，思所以处之之道，则得矣！

[译文]

奸诈狡猾的人喜欢名声，所以他做事也确实有很像君子的地方；迂腐的人不知变通，他的固执不化有时比小人更厉害。

持身不可太皎洁，一切污辱垢秽，要茹纳得；
处世不可太分明，一切贤愚好丑，要包容得。

[原注]

精明须藏在浑厚里作用。古人得祸，精明人十居其九，未有浑厚而得祸者。吴遣二士至蜀，二士甚辩，武侯伟之，后二士皆被杀。武侯曰：二人只是黑白太分明。

[译文]

修养品德也不能过于洁白和纯净，一切污秽垢病，应该都能容纳承受；处理事情不能分得太清，一切贤愚美丑，应该都能包容进去。

宇宙之大，何物不有？使择物而取之，
安得别立宇宙，置此所舍之物？

人心之广，何人不容？使择人而好之，
安有别个人心，复容所恶之人？

[原注]

剖去胸中荆棘，以便人我往来，是天下第一宽闲快活世界。处世不可太严拣择，麒麟凤凰，虎豹蛇蝎，蕃然并生。只于一身，清浊并蕴。若洗肠涤胃，尽去浊秽，只留清虚，反非生理。

[译文]

在这个广漠的世界上，什么东西没有？假如择取自己有用之物，怎么能建立另外一个世界，把现实世界上无用的东西全部放置在那里？人心之宽广，什么不能包容？假使只与自己选择的所喜欢的人亲近，怎么能有另外一个人心容纳自己所厌恶的人？

德盛者，其心和平，
见人皆可取，故口中所许可者多；
德薄者，其心刻傲，
见人皆可憎，故目中所鄙弃者众。

[原注]

圣人见人，皆圣人也；贤人见人，或贤或不肖；不肖人见人，则皆不肖矣。

袁中郎言：譬如人脾气强盛者，蔬粝亦皆甘美。否则美者甘，恶者苦，至于败坏之极，虽珍滑之物，亦不能复可口矣。真善喻也。

吕新吾云：世人喜言无好人，此孟浪语也。推原其病，皆从不忠不恕所致。自家便是个不好人，更何暇责备他人乎？泛爱亲仁，圣人忠恕体用，端的如此。

[译文]

品德高尚的人，心气平和，凡是他所遇到的都先考虑别人的优点和长处，所以被称赞的人很多；品德低下的人，心存刻薄，见人就觉得面目可憎，因此，世界上被他看不起的人占多数。

律己宜带秋风，处世须带春风。

[原注]

张梦复云：待下我一等人，言语辞气，愈要和婉。此事甚不费钱，然彼人受之，同于实惠。只在精神照料得来，不可惮烦。《易》所谓劳谦，是也。

[译文]

律己要像凛冽的秋风一样严厉，为人处事要像春风一样温和。

善处身者，必善处世；不善处世，贼身者也。
善处世者，必严修身；不严修身，媚世者也。

[译文]

注重修养身心的人，一定善于处世；不善于处世，就会给修养身心带来诸多不利。善于处世的人，必然严于修身养性；不严于修身养性，则会成为随波逐流的人。

爱人而人不爱，敬人而人不敬，君子必自反也；
爱人而人即爱，敬人而人即敬，君子益加谨也。

[译文]

我爱别人而别人不以爱心爱我，我敬重别人而别人不敬重我，遇到这样的情况，君子必须自己认真反省；我爱别人别人亦以爱心对我，我敬重别人别人亦对我敬重，这时君子对自己的言行则应该更加谨慎。

人若近贤良，譬如纸一张；
以纸包兰麝，因香而得香。
人若近邪友，譬如一枝柳；
以柳贯鱼鳖，因臭而得臭。

[原注]

陆清献公《与蒿庵翁书》云：一身远出，幼子无知，所恃者师保得人耳。舟中细思一齐众咻之义，觉得咻字情状万千，愈思愈觉可畏。非必有意引诱，然后为咻。凡亲友来者，或语言粗鄙，或举止轻率，一入初学耳目，便是终身毒药。故有心之咻犹有限，无心之咻最无穷。此孟子所以必欲置之嵩岳。然嵩岳势不易得，惟恃一齐人之辞严义正，能使众咻辟易，望风而靡，则潇湘云梦，尽成嵩岳矣。至于户外之事，惟有一静，幸太翁时提撕此意。

[译文]

一个人如果能够和好人接近，就好像一张纸内包过兰花、麝香一样，纸本身也会发出香气。一个人如果同坏人接近，就好像一枝柳条穿贯过鱼鳖一样，柳条本身也会带有臭味。

人未己知，不可急求其知；
人未己合，不可急与之合。

[原注]

君子处世，宁风霜自挟，毋鱼鸟亲人。刘直斋云：好合不如好散，此言极有理。合者，始也；散者，终也。至于好散，则善其终矣。凡处一事，交一人，无不皆然。即得正而毙，尤宜然也。士莫重于伦理，观其于家庭骨肉间，有一番至性缠绵处，其人便可相与。古来未有家门凉德，而外得厚交者。于此处取友，最当。或谓世有不爱其亲，而待他人则亲厚；不敬其兄，而遇他人则谦逊者。不知其亲厚也，特世故中之周旋。其谦逊也，乃势利中之卑陷耳。倘一旦机隙萌生，则握手者即变而攘臂；拥彗者，即起而操戈矣。若孝弟人，纵有不平，必不横决如此。

[译文]

别人不了解自己，不要急于让他了解；别人与自己意见不合，不要急于使对方同自己的想法一致。

落落者难合，一合便不可离；

欣欣者易亲，乍亲忽然成怒。

[原注]

王弇州云：博弈之交不终日，饮食之交不终月，势利之交不终年，惟道义之交，可以终身。子车氏之豭色粹而黑，一产三豚，其一驳而白，恶其弗类也，啮杀之。若敖氏之狗，群聚而戏，俯仰跳踯，甚相得也。有骨投地，其一得之，则群啮而争夺，口鼻流血矣。见别于爱憎，虽骨肉而戕啮；意竞于势利，即胶漆而戈矛。何异乎子车氏之豭、若敖氏之狗！

[译文]

性格喜欢孤独的人很难和他相交，但只要相交了，一生都很难分离；喜欢热闹的人很容易接近，但亲近容易，结怨也会在忽然之间。

能媚我者，必能害我，宜加意防之；
肯规予者，必肯助予，宜倾心听之。

[原注]

张梦复云：此辈毒人，如鸩之入口，蛇之螫肤，断断不易，决无解救之说。芸圃诗有云："于今道上揶揄鬼，原是尊前妩媚人。"盖痛乎其言之矣。先哲云：平时强项好直言者，即患难时不肯负我之人。圆软一辈，掉臂去之，或且下石焉。又云：人有过失，非其知己，孰肯指陈？泛然相识，不过背后窃议之耳！乃不能见德，而反以之为仇。于彼何与！适所以自成其不可救药之病而已。

[译文]

能对我巴结献媚的人，一定也会害我，所以应该严加防范并且时时刻刻保持警惕；经常对我规劝的人，最后必定会帮助我，所以应当把他所说的话永远铭记心里。

出一个大伤元气进士，
不如出一个能积阴德平民；

交一个读破万卷邪士,
不如交一个不识一字端人。

[译文]

出一个大伤人世元气的进士,不如出一个能积阴德的老实平民;与一个读书万卷的邪恶之人结交,不如结交一个一字不识的正派之人。

无事时,埋藏著许多小人;
多事时,识破了许多君子。

[译文]

没事的时候,小人隐藏很深,一时辨别不出;多事的时候,能识破许多君子的真实面目。

一种人难悦亦难事,只是度量褊狭,不失为君子;
一种人易事亦易悦,这是贪污软弱,不免为小人。

[原注]

陈榕门云:君子小人中,确乎有此二种,可以发圣言所未发。

[译文]

有一种人既难以取悦也难于同他共事,只是度量狭窄,然而并非不是君子;有一种人既容易与他共事又易于取悦,但他贪婪软弱,不免是个小人。

大恶多从柔处伏,慎防绵里之针;
深仇常自爱中来,宜防刀头之蜜。

[译文]

大罪恶多藏在柔软之中,要小心防范隐藏在丝绵里的针;深仇大恨往往在爱中生出,因此应防范涂在刀刃上的蜜。

惠我者小恩，携我为善者大恩；

害我者小仇，引我为不善者大仇。

[译文]

对我施惠的是小恩，带我从善的是大恩；害我的是小仇，引诱我做坏事的是大仇。

毋受小人私恩，受则恩不可酬。

毋犯士夫公怒，犯则怒不可救。

[译文]

不要收受小人的私恩，收受了就永远报答不完；不要引发士人的公愤，冒犯了就难以找出补救的良策。

喜时说尽知心，到失欢须防发泄；

恼时说尽伤心，恐再好自觉羞惭。

[译文]

感情好时说尽心里话，感情不好时应当防范用以发泄私愤；生气时说了很多伤心话，恐怕到了和好时心中自感羞愧。

盛喜中勿许人物，

盛怒中勿答人言。

[原注]

喜时之言多失信，怒时之言多失体。

[译文]

极高兴的时候，不要对人做出许诺；极恼怒的时候，对别人的问话不要做出回答。

顽石之中，良玉隐焉。
寒灰之中，星火寓焉。

[原注]

是以君子不轻弃人，不轻量人。

[译文]

杂乱的顽石中，有美玉藏于其间；寒冷的灰烬中，依然有星火存在。

静坐常思己过，闲谈莫论人非。

[译文]

静坐的时候应该想想自己有什么错误，闲谈时不要议论别人的毛病和过失。

对痴人莫说梦话，防所误也；
见短人莫说矮话，避所忌也。

[译文]

对痴迷的人不要说那些不现实的话，以防他信以为真，生出事端；遇到身材短小的人，不要说那些有关矮字的话，以避免他人忌讳或生气。

面谀之词，有识者未必悦心；
背后之议，受憾者常至刻骨。

[译文]

当面奉承的话，有见识的人听后未必喜欢；背后议论他人，被议论者知道后常恨之入骨。

攻人之恶毋太严，要思其堪受；

教人以善毋过高，当使其可从。

[译文]

责备别人不要太严厉，应考虑他的承受能力；教育别人从善要求不要过高，应当使他能够听从并且有地方下手。

互乡①童子则进之，开其善也；
阙党②童子则抑之，勉其学也。

[原注]

兼此二义可以因人施教，可谓以德化民。

[注释]

①互乡：地名，一说在山东滕县东二十三里。《论语·述而》有"互乡难与言"之句。②阙党：相传孔子授徒的地方在洙、泗之间的阙里，在阙里从孔子受学的生徒谓之阙党。阙里的童子指文化素质高的阙党子女，亦即指出身书香门第的子女。

[译文]

对于没有教养的平民子女，应当教他上进，启发他一生当好人做善事；对于出身书香门第平时就得到教育的孩子，应当抑制他们的骄傲之气，以勉励他们更加努力地学习。

不可无不可，一世之识；
不可有不可，一人之心。

[译文]

人一生的见识，应该是世界上有不可做和没有不可做的事情；至于一个人的想法，则应该是世界上不可以存在不可以做的事情。

事有急之不白者，缓之或自明，毋急躁以速其戾；
人有操之不从者，纵之或自化，毋操切以益其顽。

[译文]

事情有紧急一时弄不明白的,缓一缓或许自己就会清楚,不要匆忙处理,以免因弄错真相而误事;人有不服从命令或不听上级指挥的,暂时不去制服他,也许他会自己醒悟,不要因急于处置而增加其对立情绪。

遇矜才者,毋以才相矜,
但以愚敌其才,便可压倒;
遇炫奇者,毋以奇相炫,
但以常敌其奇,便可破除。

[译文]

遇到以自己才学自负的人,不要用才学和他相比,只要用愚笨的办法与他的才能抗衡,便可以立即将他制服;遇到爱炫耀新奇的人,不要用奇特东西同他比较,只要用平常的东西与他新奇的东西对比,便可以将他的炫耀之心立即除去。

直道事人,虚衷御物。

[原注]

周石藩云:人有好歹,事有虚实。断不可据先人之言,遂挟成心以待之。盖胸中一有成见,则窒塞而不公;不公则不明,以致是非颠倒,皂白不分。其不屈人而偾事者,鲜矣!或居家,或做官,就人用人,就事论事,心中不著些子尘垢,方能虚中悉理,不至误于人言。

[译文]

待人用坦诚直率之心,驾驭万物则用虚怀无偏见之心。

岂能尽如人意,但求不愧我心。

[原注]

人情有公亦有私,必事事求如人意,是徇也。惟惟之于理,乃至公而无私矣。

[译文]

岂能事事尽如人意,只求无愧于自己的良心就可以了。

不近人情,举足尽是危机;
不体物情,一生俱成梦境。

[译文]

一个人做事不近人情,无论他走到哪里都会遇到危机;一个人如果不体察物情,无论他如何努力,他的理想都将成为虚幻的梦境。

己性不可任,当用逆法制之,其道在一忍字;
人性不可拂,当用顺法调之,其道在一恕字。

[译文]

一个人不可以任性,制止任性应该使用逆反的方法,其关键在于一个"忍"字;人性千万不可违背,一旦发现违背人性的事情,应当用顺应的方法去调理,其原则在于一个"恕"字。

仇莫深于不体人之私,而又苦之;
祸莫大于不讳人之短,而又讦之。

[译文]

人世间最深的仇恨莫过于不体恤别人的隐私,而又利用其隐私对他进行折磨;最大的祸患莫过于不避讳别人的短处,而又在公开的场合利用其短处对他进行攻击。

辱人以不堪必反辱,伤人以已甚必反伤。

[译文]

侮辱别人太过分,使其不堪忍受,结果则必反受其辱;伤害别人太过分,使其不堪忍受,结果则必反受其伤害。

处富贵之时,要知贫贱的痛痒;
值少壮之日,须念衰老的辛酸。

[原注]

一富人饮酒温室,语人曰:今冬和暖如是,时令甚不正。贫人门外闻之,顿足曰:外边时令却甚正。

[译文]

当自己处于富贵的处境时,应该知道贫苦人的困难和烦恼,并且尽力给予施舍和帮助;当自己年轻力壮时,应该想到衰老时的悲哀和辛酸。

入安乐之场,当体患难人景况;
居旁观之地,务悉局内人苦心。

[原注]

范文正公《淮上遇风》诗曰:"一棹危于叶,旁观欲损神。他年在平地,毋忽险中人。"

[译文]

进入安乐场中,心里一定要想着处在患难景况中的人们;一个人如果处于旁观者的地位,那么考虑问题一定要考虑局内人的苦衷。

临事须替别人想,论人先将自己想。

[译文]

遇事应该先替别人着想,议论人的是非应该先把自己包括进去。

欲胜人者先自胜，欲论人者先自论，
欲知人者先自知。

[译文]

想要战胜别人，应该先战胜自己；准备议论别人，应当先议论一下自己；想要了解别人，应该先了解自己。

待人三自反，处世两如何。

[译文]

待人须每天多次反省，处世应该反复思量。

待富贵人，不难有礼而难有体；
待贫贱人，不难有恩而难有礼。

[译文]

对待富贵的人，做到有礼容易，做到得体却很难；对待贫贱的人，进行施舍容易，而做到礼节周全却很难。

对愁人勿乐，对哭人勿笑，对失意人勿矜。

[译文]

面对愁苦的人不要表现出快乐，面对哭泣的人不要发笑，面对失意的人不要表现出夸耀的样子。

见人背语，勿倾耳窃听。
入人私室，勿侧目旁观。
到人案头，勿信手乱翻。

[译文]

发现有人在背后议论，千万不要倾耳偷听。进入别人的卧室，不能东张西望。到别人的书房，不要乱翻别人东西。

不蹈无人之室，不入有事之门，不处藏物之所。

[原注]

非但远嫌，亦以避祸。至于庵庙寺观，尤宜谨慎，断不可走入深处及僻静之所。吾见蹈此而遭杀身之祸者，屡矣，切须戒之！

[译文]

屋里没有人的房间不能轻易进去，有是非之争的地方一般不要进入，在储藏物品的地方最好不要停留。

俗语近于市，纤语近于娼，诨语近于优。

[原注]

士君子一涉于此，不独损威，亦难迎福。

[译文]

粗鄙的话语乃是市井中人所说，纤细乖巧的话语乃是娼妓们所说，嬉戏逗乐的话语乃是唱戏人所说。

闻君子议论，如啜苦茗，
森严之后，甘芳溢颊；
闻小人谄笑，如嚼糖霜，
爽美之后，寒冱凝胸。

[译文]

听君子议论，如同品尝苦茶，苦味过后，甜香流溢满口；听小人谄媚的话语，如同咀嚼糖霜，美味过后，寒冷之气凝聚胸中。

凡为外所胜者，皆内不足；

凡为邪所夺者，皆正不足。

[原注]

今人见人敬慢，辄生喜愠心，皆外重者也。此迷不破，胸中冰炭一生，二者如持衡然，这边低一分，那边即昂一分，未有毫发相下者也。

[译文]

凡是被外物战胜的人，都是由于自身内气修炼不足而造成的；凡是被邪气压倒的人，都是由于自身正气不足而造成的。

存乎天者，于我无与也；

穷通得丧，吾听之而已。

存乎我者，于人无与也；

毁誉是非，吾置之而已。

[原注]

先哲云：无恶而毁，于我何疚？无善而誉，于我何有？一庸人誉之则加喜，一庸人毁之则加怒，是亦庸人而已矣！真善真恶在我，毁誉与我何干？

又云：处毁誉，要有识有量。识量大，则毁誉欣戚，不足以动其中。

又云：余刻古书，校之又校，然鲁鱼帝虎，百仍二三。夫眼眼相对尚然，况以耳传耳？其是非毁誉，宁有真乎？

又云：从来圣贤，未有不遭毁谤者。故曰：其不善者恶之，不为小人所恶，安得成个君子？闻毁者，须察这毁言从何处来？更察这毁人者，是君子，是小人？既可以得毁人者，又可以得被毁者，此两得之道也。闻誉者亦用此法最妙。大凡操进退之柄者，是非毁誉，无日不至于前。置之，则非公听并观之道；听之，则开游扬排挤之端。惟先就毁誉者之人品，以为权衡，则致毁致誉之由，不辨自明。为所毁、为所誉者，邪正立见，此为用众，而不为众用也。

[译文]

人的命运是上天决定的，个人无法改变；其穷困通达得失，只能听之任之。至于对具体的事情如何处理，这是由我自己决定的，与别人无关；或褒或贬或是或非，对它还是置之不理为佳。

小人乐闻君子之过，君子耻闻小人之恶。
[原注]
此存心厚薄之分，故人品因之而别。
[译文]
小人喜欢打听君子的过失，君子以听到小人的恶行而感到羞耻。

慕人善者，勿问其所以善，
恐拟议之念生，而效法之念微矣！
济人穷者，勿问其所以穷，
恐憎恶之心生，而恻隐之心泯矣！
[译文]
学习别人的善行，不要问其行善的原因，因为这样做恐怕会引起对行善人的怀疑，从而会使效法行善人的念头逐渐减少；想去救济穷困之人，不要询问被救济者穷困的原因，因为这样做可能引起对被救济者的憎恶，从而导致怜悯之心随之泯灭的结果。

时穷势蹙之人，当原其初心；
功成名立之士，当观其末路。
[译文]
对于穷困无势的人，应当探究他的本初之心；对于功成名就的人，应当观察他的结局。

踪多历乱，定有必不得已之私；
言到支离，才是无可奈何之处。

[原注]

吾辈须于此放宽一步。

[译文]

经历许多坎坷挫折之人，一定会有迫不得已无法倾诉的隐衷；话未说完而无法继续说下去，肯定说到了无可奈何之处。

惠不在大，在乎当厄；
怨不在多，在乎伤心。

[译文]

恩惠不在大小，在于被救者当时是否处于危境；怨恨不在多少，在于是否伤着了别人的心。

毋以小嫌疏至戚，毋以新怨忘旧恩。

[译文]

不要因为一点小小的嫌隙而疏远亲友，不要因为一点小小的不满而忘记旧有的恩情。

两惠无不释之怨，两求无不合之交，
两怒无不成之祸。

[原注]

吃紧全在"两"字。事之成败，人之祸福，莫不有"两"者，其机也。

[译文]

两个人相互关心，相互施惠，就没有不可消除的积怨；两个人都有相互交往的要求，那就没有不可以和好的友情；两个人相互埋怨发怒，那么两个人之间就会没有酿不成的祸患。

古之名望相近则相得，

今之名望相近则相妒。

[原注]

陈榕门云：无论古今，公则未有不相得，私则未有不相妒者。非谓私，非独势利得失。即如嫌疑未化，偶有偏主，皆私也。噫，难言之矣！

[译文]

古代名望相当的人能够和睦相处，现在名望相当的人则相互妒忌。

齐家类

勤俭，治家之本。和顺，齐家之本。
谨慎，保家之本。诗书，起家之本。
忠孝，传家之本。

[译文]

勤奋节俭，是经营家庭的根本。和睦顺从，是治理家庭的根本。谨慎小心，是保持家庭的根本。读书勤学，是振兴家庭的根本。忠君孝亲，是家庭传承的根本。

天下无不是底父母，世间最难得者兄弟。

[原注]

陈成卿云：自来乱臣贼子，其始皆见得君父有不是处。微根不除，遂至横决尔。世有因异母兄弟而隔膜视者。此但知有母，而不知有父者也，与禽兽何以异！

[译文]

天下没有错误的父母，世上最难得的是亲如手足的兄弟。

以父母之心为心，天下无不友之兄弟。
以祖宗之心为心，天下无不知之族人。

以天地之心为心，天下无不爱之民物。

[译文]

将父母爱护子女的心当做自己的心，天下就不会有不友爱的兄弟。将祖宗关怀后嗣的心当做自己的心，天下就不会出现不和睦的族人。将天地生育万物的心当做自己的心，那么天下就不会没有不值得去爱的百姓和事物。

人君以天地之心为心，
人子以父母之心为心，
天下无不一之心矣；
臣工以朝廷之事为事，
奴仆以家主之事为事，
天下无不一之事矣。

[原注]

语气阔大，义蕴宏深。

[译文]

作为一国之君主应该把天地之心当做自己的心，身为人子的应该把父母之心当做自己的心，那么天下人就不会出现想法不一样的心了；做臣子的应该把朝廷中的事当成自己的事，做奴仆的应该把主人的事当成自己的事，那么就不会出现三心二意办不成的事情了。

孝莫辞劳，转眼便为人父母；
善毋望报，回头但看尔儿孙。
子之孝，不如率妇以为孝，妇能养亲者也。
公姑得一孝妇，胜如得一孝子。
妇之孝，不如导孙以为孝，孙能娱亲者也。

祖父得一孝孙，又增一辈孝子。

[译文]

孝顺父母不要害怕苦和累，转眼间自己又成为别人的父母；做好事不要想着得到回报，回头看一下自己的儿孙便可以知晓。儿子孝顺，不如儿子教育媳妇孝顺，因为媳妇是直接奉养双亲的。公婆如能得到一位孝顺媳妇，比得到一个孝顺儿子还强。媳妇孝顺，不如教导孙子使他也像父母亲那样孝顺，因为孙子能使祖父祖母快乐。如果祖父有一个孝顺孙子，就又增添了一代孝子。

父母所欲为者，我继述之；
父母所重念者，我亲厚之。

[原注]

凡父母生前所欲为而不得者，我善为继述之。孝思之大，莫过于是。凡人父母虽亡，无可补过。然有兄弟，有姊妹，皆父母所垂念之人也，我当看顾之，联和之，则父母在天之灵悦。有伯叔，有宗族，皆祖父所不忘之人也，我当体恤之，周济之，则祖父在天之灵悦。有亲戚，有邻朋，亦祖父所加意之人也，我当提携之，怜悯之，不独祖父在天之灵悦，即在天虚空之神鬼，亦无不皆悦。

[译文]

父母想做却没能做的事，我继续努力去做；父母所思念看重的人，我应以亲人视之并且设法去厚待他。

婚而论财，究也夫妇之道丧；
葬而求福，究也父子之恩绝。

[原注]

古者男女之族，各择德焉，不以财为礼。文中子曰：婚姻而论财，夷虏之道也，君子不入其乡。近世婚姻一事，竞尚侈奢，日趋日盛，其实豪华满眼，不过一瞬虚名，有何实际，而铺张扬厉若此。德不如人而衣饰是尚，家不能治而容冶相先，因之败德蠹家，离间骨肉多矣。

先辈诗云："婚姻几见斗奢华，金屋银屏众口夸。转眼十年人事变，妆奁贱卖与人家。"殊有深味。每见嫁资丰饶之女，多至非贫则夭者。虽曰其命，亦未必非暴殄天物之孽也。

古人云：先有人而后有地，先有德而后有人。此真探源之论，可破除葬师一切妄谈谬说。盖山川英灵之蕴，冲和之萃，必有神物为之护持，乃造物秘之，以待善人也。岂人力之所能为哉？故吉士之遇，每在乎贫贱积善之余；而凶土之藏，辄卜于富贵不仁之后。若使神工果可夺，天命果可改，则古今宇宙在一家，而造物之机几息矣！

宋谦父云：世人尽知穴在山，岂知穴在方寸间；好山好水世不乏，苟非其人寻不见。我见富贵人家坟，往往葬时皆贫贱；迨至富贵力可求，人事尽时天理变。仁人孝子，可以知所自处矣。

[译文]

婚姻之事只论钱财，不仅背离了互敬互爱的夫妇之道，而且会使它最终丧失。丧葬时利用风水祈福，最终会使父子之间恩断义绝，骨肉亲情消失。

君子有终身之丧，忌日是也；
君子有百世之养，邱墓是也。

[原注]

志石墓碑，不在禁例。稍有力者，宜内志以石，或记事功，或止勒亡者生庚，故葬年月及山向四至大概，附埋冢内。上树碑一通，不必过于高大，嫌于僭也。碑面照有无封赠职衔，据实开刻。考妣某某之墓，旁书子某孙某敬立。碑阴仍将父母生庚、故葬年月日、所葬坐山朝向，及坟地四至丈尺、墓田亩数，明白刊刻，庶可示久远，以防侵占。为人子者，不可不急讲也。

[译文]

品德高尚的君子应在祭日终身服丧，坟墓是君子延续宗族的凭证。

兄弟一块肉，妇人是刀锥。兄弟一釜羹，妇人是盐梅。

[原注]

言任其剜割也，言任其调和也。大抵妇人之见，不广远，不公平。非丈夫有远识，虽平日素明义理者，迨日渐月渍，则为其役而不自觉旨哉！郑濂对明太祖之言曰：治家之道，惟不听妇人言而已。

[译文]

兄弟血脉相连如同一块肉，妻子如同锥和刀，任她剜割。兄弟好似一锅汤，妻子好似调味品，任她调和。

兄弟和，其中自乐；
子孙贤，此外何求！

[译文]

兄弟和睦，就会自得其乐；子孙孝贤，另外还要追求什么！

心术不可得罪于天地，
言行要留好样与儿孙。

[原注]

《思辨录》云：教子弟当以身率先。每见人家子弟，父兄未尝著意督率，而规模动静、性情好尚，辄苦肖其父，皆身教为之也。

[译文]

心中所想不能违反天地自然之意，平日一言一行都要给儿孙留个榜样。

现在之福，积自祖宗者，不可不惜；
将来之福，贻于子孙者，不可不培。

现在之福如点灯，随点则随竭；

将来之福如添油，愈添则愈明。

[原注]

颜光衷云：世之登高第者，自以为读书材能所致。权势在手，恣傲无忌，尽改故步，孰知些小福分，皆从祖父殷勤得来，不添油注炭，热焰能几何乎？

[译文]

现在的福气是由祖宗积留的，不能不倍加珍惜；将来的福气是要留给子孙后代的，不能不培养积累。现在的福气如同点灯，灯油终会枯竭；将来的福气如同给灯添油，添得越多灯光就会越加持久明亮。

问祖宗之泽，吾享者是，当念积累之难；

问子孙之福，吾贻者是，要思倾覆之易。

[译文]

要问祖宗所留的福泽在什么地方，我现在享受的便是，应当体念祖宗当年积累福泽的艰辛和困难；要问为子孙留下的福祉在什么地方，我所遗留的就是，要想到它的消失或者用尽是很容易的。

要知前世因，今生受者是，

吾谓昨日以前，尔祖尔父，皆前世也；

要知后世因，今生作者是，

吾谓今日以后，尔子尔孙，后世也。

[译文]

想知道什么是前世之因，当前你所承受的便是。我认为昨天以前，你祖父、父亲都算是前世；想知道什么是后世之因，今生即现在你正在做着的便是。我认为从今天始，你的儿子、孙子都是后世。

祖宗富贵，自诗书中来，
子孙享富贵，则弃诗书矣；
祖宗家业，自勤俭中来，
子孙享家业，则忘勤俭矣。

[原注]

此所以多衰门也。

[译文]

祖宗的富贵是从读书中得来的，然而子孙只知享受祖宗恩泽，却把诗书学问一概抛弃；祖宗的家业是从勤俭中积累下来的，但是子孙享受这些家业时，却把勤俭忘得一干二净。

近处不能感动，未有能及远者。
小处不能调理，未有能治大者。
亲者不能联属，未有能格疏者。
一家生理不能全备，未有能安养百姓者；
一家子弟不率规矩，未有能教诲他人者。

[原注]

齐治相因之理，说得如许亲切。

[译文]

自己的德行连身边的人都不能感化，那么怎么能感化远处的其他人呢？连身边的琐碎小事都处理不好，怎么能处理好有关家庭、国家命运的大事呢？连自己亲密的人都不能和睦相处，怎么能和疏远的人建立和谐的友好关系呢？一家的生活都安排不好，想去安定国家造福百姓是不可能的；连自家的子弟都不懂礼貌不守规矩，想去教诲别人也是不可能的。

至乐无如读书，至要莫如教子。

[原注]

张梦复训子云：人心至灵至动，惟读书可以养之。否则，必至心意颠倒，妄想生嗔，往往处逆境不乐，处顺境亦不乐者，此必不读书之人也。

又云：读书固所以继家声，然亦使人敬重。每见仕宦显赫之家，其老者或退或故，而其家索然者，其后无读书之人也；其家蔚然者，其后有读书之人也。山有猛兽，而藜藿为之不深；家有子弟，而强暴为之改容。岂止掇青紫、荣宗祊而已哉！

善教子者，先要将邪正两途与之熟讲，使之立定脚跟，方可依样做去。自然心有把握，生死受用，皆在于此。而今父兄，但思荣其身，不思葆其心。或以声色货利，权焰威宠，激其读书志气，纵使幸得名位，适足为长欲荡淫，作恶损德之资。上辱祖考，下毒儿孙，其害有不可胜言者。

[译文]

人世间最大的快乐莫过于读书，最重要的事情莫过于教育子女。

子弟有才，制其爱，毋弛其诲，故不以骄败。
子弟不肖，严其诲，毋薄其爱，故不以怨离。

[原注]

顾光衷云：天下风俗败时，大抵自为子弟时，先做坏了。人品心术坏时，亦自为子弟时，先做坏了。稍有拂戾，便容受不下；小有才气，便收拾不住。所以一到长成，放出无状来，遂不可当。古来洒扫应对，奉几侍立，都是要消除子弟的雄心猛气，使之鞭向入微耳。

先哲云：教贫贱家儿，尚可稍从宽恕，至富贵家子弟，尤须痛惩不容轻贷，何也？彼其骄贵痴养，颐指气使，种种已积之胸中矣。苟非严父贤师，共勤追琢，鲜有能成器者也。

又云：子弟生于富贵家，是大不幸。惟富贵则性傲，千罪百恶，都从傲上来。又云：富贵家子弟，要使他知贫贱的意味。试观自古圣贤，何人不从忧苦贫贱中来。惟贫贱则思自立，思自立，则百事皆可为矣。

子弟愚顽无志者，督责过严，则彼益自弃，而甘于下流，须故加奖励，或立赏格鼓舞之。观古人为政，必赏罚并行，乃能政治。则知父兄教子弟机神妙用，亦在奖励与督责并行也。

[译文]

如果子弟有才华，千万不能对他一味地溺爱，更不能放松对他的教育和严格要求，只有这样做，才不会使他长大后因骄傲而败事。如果子女愚顽无志难于成才的，必须严加教育，然而千万不能歧视，或者减少对他们的关怀和爱护，只有这样做，他们才不会因怨恨而远离。

雨泽过润，万物之灾也。
恩宠过礼，臣妾之灾也。
情爱过义，子孙之灾也。

[原注]

以肥甘爱儿女而不思其伤身，以姑息爱儿女而不思其败德，皆妇人之仁也。噫！世之自爱而陷于自杀者，又十人而九矣。故善教子者，一严之外无他术；善用严者，一慎之外无他道。今人教子，每事疏忽宽纵，不耐留心。迨至德性已坏，听之不可，禁之不能，诛之又不忍，始悔前日之失教也。晚矣！

[译文]

雨水过多，反而成为万物的灾害。恩惠过度超过了礼节，是大臣和婢妾的灾祸。宠爱过分有乖于义，对子孙来说不仅没有益处，反而会成为一种灾害。

安详恭敬，是教小儿第一法；公正严明，是做家长第一法。

[原注]

子弟之成否，不必望其才华过人，但观其谨饬与放肆，则一生之事业，可豫定矣。

吕新吾云：齐家者如以刀切物，使参差者，就于一致也。家人恩胜之地，大都情多而义少，私易而公难。若人人各遂其欲，势将无极。惟刚正之人，则能不以私恩失其正理。故古人以父母为严君，而家法要严明，盖对症之治也。

又云：家法所系甚重也，猝然而拟人以俳优，虽乞丐未有不怒者。而俳优之家，世世业之而不知耻，其子孙岂绝无羞恶之良心哉？亦相习而不以为怪，为家法之所囿耳。是故欲子孙善，则莫如正家法。

[译文]

安详恭敬，是教育孩子的最重要的原则；公正严明，是做家长的应该遵守的第一要义。

人一心先无主宰，如何整理得一身正当？
人一身先无规矩，如何调剂得一家肃穆？
融得性情上偏私，便是大学问；
消得家庭中嫌隙，便是大经纶。

[原注]

一家之中，老幼子女，无一个规矩礼法，虽眼前兴旺，即此便是衰败景象。

张扬园云：父子兄弟夫妇，人伦之大。一家之中，惟此三亲而已，不可稍有乖张，父子尤其本也。一处乖张，即处处乖张，安有缺于此而全于彼者。自古人伦之变，祸败所贻，常及数世，天道然也。

[译文]

如果一个人的心灵中没有一个终生为之奋斗的坚定信仰，那么将如何修养出自己的高尚品德？如果一个人的言行不符礼义规矩，那么怎样把自己的家庭治理得井井有条，端庄严肃？一个人如果能纠正性格上的偏狭，做到胸怀宽广，这是一种大学问；能够消除家庭中的隔阂，做到和谐相处，同样也是一种大学问。

遇朋友交游之失，宜剀切[①]，不宜游移；

处家庭骨肉之变，宜委曲，不宜激烈。

[原注]

家庭乃见真之地，然到极难处时，不能不以委曲将之。大舜、闵子所以成孝子者，正以难处中能委曲也。昔贤谓委曲求全，岂遂无术？八字宜味，非过来人，不能道此。

[注释]

①剀（kǎi）切：切实，切中要理。

[译文]

对待朋友所犯的过失，应切实指出，并要以理劝谏，不要犹豫不决，更不能三心二意；遭逢家庭变故，应当委婉曲折，心平气和地处理，千万不能过激。

未有和气萃焉，而家不吉昌者；
未有戾气结焉，而家不衰败者。

[原注]

父慈子孝，兄友弟恭，夫义妇顺，此和气之最难得者。

先哲云：凡至人家，闻老人嗟叹声、子弟骄纵声、妇女诟谇声、幼稚娇宠声、宾朋谄谀声、奴仆哗笑声、婢媪惨切声，而主人则昏昏然，嬉嬉然，一似作梦呓声者，其家必不久即破。

又云：凡人家门庭虽隘陋，而光洁可爱；供具虽粗淡，而朴素可观。主人之动作厚道，子弟之进趋有礼，案有好书籍，堂有纺织声，夙兴夜寐，勿失其常，蔬食菜羹，各安其素，目前虽门寒族薄，其兴也，可翘足而待。

先辈诗云："入观庭户知勤惰，一出茶汤便见妻。父老奔驰无孝子，要知贤母看儿衣。"盖登人之堂，即知室中之事矣。

[译文]

没有和睦气氛聚集而家庭不昌盛发达的，没有暴戾之气集结而家庭不衰落朽败的。

闺门之内不出戏言，则刑于之化①行矣。

房帷之中不闻戏笑，则相敬之风著矣。

[原注]

夫妇之间，以狎昵始，未有不以怨怒终者。故闺门之内，离一礼字不得。而夫妇反目，则不以礼节之故也。

[注释]

①刑于之化：形容夫妇和睦。刑通"型"，示范。《诗·大雅·思齐》："刑于寡妻，至于兄弟，以御于家邦。"

[译文]

在夫妇房内听不到轻薄的戏言，那么可以说明夫妻关系协调和睦；在床榻之上听不到互相调笑之声，说明相敬如宾的家风已经形成。

人之于嫡室也，宜防其蔽子之过；

人之于继室也，宜防其诬子之过。

[译文]

对于原配妻子，应防止她庇护子女的过失；对于再娶的继室，应防止她诬赖前妻所生的子女。

仆虽能，不可使与内事；

妻虽贤，不可使与外事。

[原注]

居家以内外界限谨严为第一。礼云：外言不入于阃，内言不出于阃，于此见圣贤防微杜渐之意。有闲家之责者，竟以此为门内之人鬼关可也。

汪起凤云：今日奸徒聚众，借名说法，渔色赚财，其罪固在不赦。而为其所惑者，听其之妇女源源入庵观寺院，以致宣淫播秽，败俗伤风，恶得尽无罪哉！至若外来之闲杂女流，并宜痛绝。盖此辈善揣人意，专一传播各家新闻，以悦妇女。暗中盗哄财物，尚是小事。常有诱为不端，魇魅刁拐，种种非一，其害有不可胜言者。

[译文]

不管仆人多么能干，也不能让他参与闺门之内的事；不管妻子多么贤惠，也不能让她参与闺门之外的事。

奴仆得罪于我者尚可恕，
得罪于人者不可恕；
子孙得罪于人者尚可恕，
得罪于天者不可恕。

[原注]

高宪宗公《家训》云：人家有体面崖岸之说，大害事。家人惹事，直者置之，曲者治之而已。往往为体面立崖岸，曲护其短，力直其事，此乃自伤体面，自毁崖岸也。长小人之志，生不测之变，多由于此。盖观其仆从之敬肆，即可以知其主之贤否矣。

先哲云：驭仆如行军，法律要严，情意要洽。又云：待仆婢须体恤备至，当推吾爱子女之心以恕之。又云：仆婢悍恶者，稍觉，即善遣之为妙。责而不遣，或蓄怒不决，或攻发太骤，未有不及于祸者，慎之。

[译文]

奴仆得罪了我还是可以宽恕的，但是，如果得罪了外人则是不能宽恕的。子孙得罪了别人可以宽恕，然而，言行违逆了天理则是不可宽恕的。

奴之不祥，莫大于传主人之谤语；
主之不祥，莫大于行仆婢之谮言。

[原注]

家人之畔，多起于仆婢造言，而妇人悦之；妇人附会，而丈夫信之。禁此二害而家不和睦者，鲜矣。

[译文]

对于仆人,最不能容忍的是他喜欢传播对主人诽谤的话语;对于主人,最不能原谅的是他喜欢依据奴仆的谮言来对人进行处置。

治家严,家乃和;
居乡恕,乡乃睦。
治家忌宽,而尤忌严;
居家忌奢,而尤忌啬。

[原注]

治家原贵用严,此所谓严,乃指朘刻者而言。常见有十分精紧,一丝不漏者,每致不测之祸。鄙啬至极,必生奢儿。

[译文]

家政只有严厉,家庭才能和睦;居于乡里,只有宽宏待人,乡里才能和谐相处。然而治家既不能过于宽大,更不能过于严厉;居家过日子既不能奢侈,更不能过于吝啬。

无正经人交接,其人必是奸邪;
无穷亲友往来,其家必然势利。

[原注]

所谓正经人者;乃是笃实不欺之君子。非若俗眼所见,为体面人物也。此处不可错认。家居耐俗汉,亦是无可奈何处。寻常亲故往来,安得皆名门望族!须当接待以礼,勿踏浮薄之弊。

[译文]

没有笃实不欺的正经人与之结交,这个人必然是个奸邪之徒;没有穷亲戚与其来往,这个家必然是势利之家。

日光照天,群物皆作,人灵于物,寐而不觉,是谓天起人不起，必为天神所谴，如君上临朝，臣下高卧失误，不免罚责。

夜漏三更，群物皆息，人灵于物，烟酒沉溺，是谓地眠人不眠，必为地祇所呵，如家主欲睡，仆婢喧闹不休，定遭鞭笞。

[原注]

夙兴夜寐，常道也；俾昼作夜，反常也。朱柏庐谓黎明即起者，盖谓人生于寅，为一日作事之始，此时起来，最得清明之气。且办事亦绰绰有作。若长此鼾睡，其昏惰可知，而家政之废弛，更不待问矣。

先哲云：观人家之起卧早晚，即可以卜家道之兴衰，历试历验。近见纨绔子弟，沉溺于嗜欲之途，每有日午始兴，鸡鸣始寝者，反天地之性，悖阴阳之宜，不祥莫大于是。正家法者，无之也；贤子弟者，无之也；勤以治生者，无之也。

[译文]

太阳初升，天下万物开始苏醒，人乃万物之灵，如果睡到天亮而不起，所谓天起而人不起，必会受到上天的惩处，犹如君王早朝而臣子因贪睡而误事，为此遭到责罚是必然的。

三更半夜，天地沉睡。而作为万物之灵的人却因为沉湎于吸烟喝酒而寻欢作乐，所谓地眠人不眠，最后受到地神的责罚也是不可避免的，就像主人想睡觉而奴仆却吵闹不休一样，受到鞭笞是应该的。

楼下不宜供神，虑楼上之亵秽；
屋后必须开户，防屋前之火灾。

[原注]

并忌作书室。

[译文]

楼房的下层不应该供奉神灵，因为上面的污秽可能落下玷污他们；留在屋后的门窗应该打开，以备屋前失火时从后门逃生。

从政类

眼前百姓即儿孙，莫谓百姓可欺，
且留下儿孙地步；
堂上一官称父母，漫道一官好做，
还尽些父母恩情。

[原注]

汪龙庄《学治臆说》云：州县一官，作孽易，造福亦易。余所见所闻牧令多矣，其干阳谴阴，祸亲于其身，累及嗣子者，率皆护上朘民之能吏。其嗣子有罹辟者，或流落所官之地，为农氓乞养，甚为富室司阍，人犹呼某少爷以揶揄之。至遗榇不能归葬者不一，姓名尚在人口，余不忍书也。而其勤政爱民，异于常吏之为者，皆亲见其子之为太史，为御史，为司道。天之报施捷于响应，吾愿居是职者，慎毋忘福孽之见也。惟是造福云者，非曲法求宽之谓也。人之生，直多枉少。直者弱，枉者强。故姑息养奸，则宽一枉而群枉逞凶；能除暴安良，则惩一枉而诸枉敛迹。是即福孽之所由分也。子产宽猛之论，可不熟读深思欤？

[译文]

在你管辖地方的百姓就是你的儿孙，不要以为他们软弱可欺，要为他们着想，并施以恩惠，并为他们的生活留下充分的余地；百姓把堂上坐的官称作父母官，不要认为一个父母官可以随便当好，要尽量尽到父母官的责任和恩情。

善体黎庶情，此谓民之父母；
广行阴骘事，以能保我子孙。
[原注]
汪龙庄云：治堂下百姓，当念家中子孙。将治士子，则念子孙有为士子之日；将治白丁，则念子孙有为白丁之日。自然躁释矜平，终归仁恕。不然，喜怒由己，枉滥多矣。
[译文]
能体恤百姓疾苦，才能称之为父母官；多做些积阴德的事，以使子孙后代兴旺发达。

封赠父祖，易得也；无使人唾骂父祖，难得也。
恩荫子孙，易得也；无使我毒害子孙，难得也。
[原注]
居家而思其难者，则父祖之泽长，子孙之祚远矣。
[译文]
使祖父、父亲受到封赏还是比较容易的，使别人不唾骂祖父、父亲就比较难。为子孙积些福荫比较容易，使我不毒害子孙就比较难。

洁己方能不失己，爱民所重在亲民。
[原注]
汪龙庄云：亲民之道，全在体恤民隐，惜民之力，节民之财，遇之以诚，示之以信，不觉官之可畏，而觉官之可感，斯有官民一体之象也。
蔡文勤公云：亲民之官，其要有三：曰息讼、薄赋、兴教而已。
顾亭林云：今日所以变化人心，荡涤污俗，莫急于勤学、奖励二事。
[译文]
洁身自爱才能保持住自己的本色，爱护百姓的关键在于亲近

百姓。

朝廷立法不可不严，有司行法不可不恕。

[原注]

吕新吾云：法至于平，尽矣；君子又加之以恕。平者，公也；恕者，仁也。彼不平者加之以深，不恕者加之以刻，其伤天地之和多矣。

陈榕门云：平恕二字，千古立法之极则，亦千古行法之极则。

汪龙庄云：律设大法，例顺人情。法所不容姑脱者，原不容曲法以长奸；情尚可以从宽者，总不妨原情而略法。准情用法，庶不干造物之和。

湖州韩某，尝为府中皂隶，时遇一酷吏，每行杖，要三板见血。韩钻板下一孔，藏猪血于中，复以竹片镶好，不使人知。持以行杖，不及三板，而猪血溅出，阴受其福者不少。噫！慈心如此，视彼酷吏，相去殆有人禽之别矣。近闻湖南某官，每夜饮高兴时，辄将监内罪犯提出醒酒，此真全无人心者。后某官一子无故大叫，追呼不已，未几卒，嗣遂绝。

[译文]

朝廷立法是应该严厉的，而官吏执行时却仍然需要宽恕之心。

严以驭役而宽以恤民，极于扬善而勇于去奸，缓于催科而勤于抚字。

[译文]

对差役小吏要严加约束，对平民百姓要宽容体恤。对善行要积极表彰鼓励，对奸人要果断驱除清理。催交赋税不要过急，稳妥推进，对百姓疾苦要尽快解决，及时抚育。

催科不扰，催科中抚字；
刑罚不差，刑罚中教化。

[原注]

陈榕门云：洞见致治之大原，可药俗吏之锢弊。

[译文]

催征赋税不能使百姓受到惊扰,而且在催征中使他们受到安抚;偶尔使用刑罚千万不能出现差错,最好能达到教化的目的。

刑罚当宽处即宽,草木亦上天生命;
财用可省时便省,丝毫皆下民脂膏。

[译文]

使用刑罚时能宽大的地方就宽大一些,连小草和树木的生命也是上天赋予的;财物费用该节省就节省,因为一丝一毫都是民脂民膏。

居家为妇女们爱怜,朋友必多怒色;
做官为衙门人欢喜,百姓定有怨声。

[原注]

朱胜之云:吏书贪,吾词不付房。皂隶贪,吾不妄行杖。狱卒贪,吾不轻系囚。至于妇人有犯,更宜矜全,不可轻系。非为矜恤,亦子孙之福也。旧家妇女,必不得已而传质者,许用小轿抬至案前答问,不令出轿被人观看。居官能为妇女养廉耻,莫大阴功。

高忠宪公云:凡勾摄,止差里长,非真正强盗、人命巨恶,不可滥差皂隶下乡以滋诈扰,是造福小民第一义。汪待举知处州,为政曲尽下情,民有争讼,呼之使前,面定曲直,不以属吏。百姓以诗颂之曰:官舍却如僧舍静,吏人浑似野人闲。

[译文]

在家中被女人们爱怜,那么朋友们一般都不会高兴;做官的只被衙门里的人喜欢,那么百姓自然会怨声载道。

官不必尊显,期于无负君亲;

道不必博施，要在有裨民物。

禄岂须多，防满则退；

年不待暮，有疾便辞。

天非私富一人，托以众贫者之命；

天非私贵一人，托以众贱者之身。

[原注]

有德而富贵者，乘富贵之势以利物；无德而富贵者，乘富贵之势以害人。

[译文]

做官不一定非要尊贵显达，只要不辜负朝廷和父母就行；道义也不必广施，只要有益于民生就可以。做官的俸禄不一定太多，够养老就应该感到幸运。致仕不需要等到年老，只要有病就可以辞官隐退。上天并非只使一个人富有，是众多贫困者的命运衬托的结果；上天并非只使一个人尊贵，是众多普通百姓身份的衬托才成这样的。

住世一日，要做一日好人；

为官一日，要行一日好事。

[原注]

做好人，性情舒畅，血气和平，梦里清静，有说不尽的妙处。

陈眉公云：人生一日，或闻一善言，见一善行，行一善事，此日方不虚生。

熊勉庵云：积德累功，莫如居官为易。所谓顺风之呼，响应自捷，往往有一事而可当千百善者。又云：凡职任朝廷耳目者，须详访民害，为生灵请命。则一举笔间，可种永远之福田。一人可以日行万善者，莫捷于居官。

[译文]

活在世界上一天，就要做一天好人；在朝廷中做一天官，就要做一天好事。

贫贱人栉风沐雨，万苦千辛，

自家血汗自家消受，天之鉴察犹恕；

富贵人衣税食租，担爵受禄，

万民血汗一人消受，天之督责更严。

[译文]

贫苦的人终日在风雨中东奔西走，千辛万苦，自己食用自己用血汗换来的衣食，因此上天看到了也会生出怜悯之心；而做官的人享用朝廷俸禄，他们的衣食住行都是百姓用自己的血汗供养，因此上天对他们的监督责罚更加严厉。

平日诚以治民，而民信之，

则凡有事于民，无不应矣。

平日诚以事天，而天信之，

则凡有祷于天，无不应矣。

[译文]

平日诚心诚意对待百姓，百姓对他就会信任，一旦有事要求百姓去做，百姓就会欣然应命；平时诚心诚意对待上天，上天对他就会信任，只要有事祷告上天，上天就会没有不答应的。

平民肯种德施惠，便是无位底卿相；

士夫徒贪权希宠，竟成有爵底乞儿。

[原注]

高忠宪公云：人生爵位，自是分定，非可营求。只看得义命二字透，落得做个君子。不然，空污秽清净世界，空玷辱清白家门，不如穷簷茆屋，田夫牧子，老死而人不闻者，免得出一番大丑也。

[译文]

平民百姓只要肯积德施舍，他便是一个没有官位的卿相；当官的一旦只知贪权邀宠，他就会成为有官位的乞儿。

无功而食，雀鼠是已；
肆害而食，虎狼是已。

［原注］

士大夫当图诸座右。

［译文］

于民无功而徒食俸禄，这样的为官者就像老鼠、麻雀那样；肆意残害百姓而食用俸禄，这样的为官者则是凶猛的虎狼。

毋矜清而傲浊，毋慎大而忽小，毋勤始而怠终。

［原注］

清慎勤，是居官本等。居官尚清，固已。惟清而刻，则百姓之生命绝矣。故不独贪财酷刑，方谓之虐。或只知急公，而不知抚恤；或疾恶太过，而不容自新，皆虐也。古来清吏，子孙类多不振，并至斩后者，正坐此耳。

熊勉庵云：居官以清，士君子分内事。清非难，不见其清为难。不恃其清而操切凌轹人，为尤难。

［译文］

做官的人不要自以为清高而傲视那些所谓的浊流，不能只谨慎处理大事而忽略小事，不要只重视事业的开始而懈怠于结尾。

勤能补拙，俭以养廉。

［原注］

汪龙庄云：国家澄叙官方，首严墨吏。人即不自爱，未有甘以墨败者。资用既绌，左右效忠之辈，进献利策，多在可以无取、可以取之间。意谓伤廉尚小，不妨姑试，利径一开，万难再窒。情移势逼，欲罢不能，或被下人牵鼻，或受上官掣肘，卒之利尽归人，害独归己。败以身徇，不败亦殃及子孙，皆由不节之一念基之。故欲为清白吏，必自节用始。

[译文]

勤劳能够弥补笨拙，节俭有利于培养廉洁的品格。

居官廉，人以为百姓受福，
予以为锡福于子孙者不浅也，
曾见有约己裕民者，后代不昌大耶？
居官浊，人以为百姓受害，
予以为贻害于子孙者不浅也，
曾见有瘠众肥家者，历世得久长耶？

[原注]

今之论居官者，辄曰近世却难为廉，不知公论自在，到底清白持躬，亦自有赏识之者。患在先以流品自限，到头一节，不能尽无染指耳。

颜光衷云：黩货则必酷，彼以为不打，则群情不惊，宝贿不来也。黩货则必横，彼以为不颠倒曲直，则理胜于权，人情有所恃以无恐也。黩货则必获近习，通意旨，彼以为不虎噬成群，则威令不重。不曲庇私人，则过付无托。且短长既为所挟制，阴阳有所屈也。一贪生百酷，一酷吏又生百爪牙。吁！民几何而不穷且盗哉？

[译文]

官吏廉洁，一般人都认为是百姓的福气，我认为除了百姓有福气，他自己的子孙也受益匪浅，谁见过自己俭约而厚待百姓的官员，他们的后代有不昌盛的吗？贪官污吏，一般人都认为是百姓受害，但我认为除了百姓受害之外，他们的子孙也受害很深，谁见过压迫百姓而厚待自家的官员，他们的后代能保持久长的吗？

以林皋安乐懒散心做官，未有不荒怠者；
以在家治生营产心做官，未有不贪鄙者。

[原注]

陈榕门云：居官者之身心，所托命者几何人？一日之内，所待理者几何事？一有安乐懒散之心，是直以官为戏，民生休戚那得复到胸中耶？居官者洁己以爱民，毋剥民以益己，若竟当做治生营产，是必日在小民分上，较量锱铢。知有己不知有民，吝于出复奢于入，其始也鄙，其继也必至于贪。

[译文]

以山野隐居安乐懒散之心做官，政事没有不因为官员懈怠而荒废的；用为自己家经营产业的心态做官，没有不是品格低下而贪婪卑鄙的。

念念用之君民，则为吉士。
念念用之套数，则为俗吏。
念念用之身家，则为贼臣。

[原注]

吕新吾云：而今士大夫聚首时，只问我辈奔奔忙忙，熬熬煎煎，是为天下国家，欲济世安民乎？抑为身家妻子，欲位高金多乎？世之治乱，民之死生，国之安危，只于这两个念头定了。嗟夫！吾辈日多，而世益苦；吾辈日贵，而民日穷。世何贵于有吾辈哉！

魏环溪云：尝见居官者，不问职掌尽否？兴利除害几何？百姓安危何以？辄问何时升转？何日出差？地方好否？宦囊有无？迁移者有谁照管？淹滞者是谁阻抑？凡问及此，即为薄待天下之人。不但问者如此立论，即本人亦无不如此设想。宦途至此，可为伤心矣！

[译文]

一心只想为君王和百姓尽力的人，则可称为正直的人。心里只想循规蹈矩按套路办事的官员，可称之为庸吏或俗吏。一心只为自己利益着想的官员，则可以称之为贼臣。

古之从仕者养人，
今之从仕者养己。
古之居官也，在下民身上做工夫，

今之居官也，在上官眼底做工夫。

[原注]

周石藩云：做官要将纱帽看得破。做一日官，办一日事，决不要辜负它。得做便做，不得做便不做，去就绰然，庶无患得患失之虑。若钻刺夤缘，独私垄断，究竟一片热衷，皆成幻境，何苦于此。

[译文]

古代从政的官员抚恤百姓，当今从政的官员只关心自己。古代从政的官员在如何造福百姓方面下工夫，当今从政的官员只在上司眼皮底下下工夫。

在家者不知有官，方能守分；
在官者不知有家，方能尽分。

[译文]

在家的人不知道家里有人在外面做官，才能始终坚持一个平民应有的本分；在外面当官的人不知道自己还有一个家，才能心无私念尽职尽责。

君子当官任职，不计难易，
而志在济人，故动辄成功；
小人苟禄营私，只任便安，
而意在利己，故动多败事。

[原注]

所计者是非耳。避害而害未必免，趋利而利未必得，往往如此。

[译文]

君子出仕任职，不计较地位的高低，职务的难易，其志向只在于如何帮助百姓，所以往往能够成功；小人出仕只是为了苟取俸禄谋取私利，只做那些容易而且没有风险的事情，目的只在有利于自己，所以往往失败。

职业是当然底，每日做他不尽，莫要认作假；
权势是偶然底，有日还他主者，莫要认作真。

[原注]

吕新吾云：世人把天地真实道理，作虚套子干，把世间虚套子，却作实事干。吁！所从来久矣！非霹雳手段，那得变此锢习。

陈榕门云：此种习气官场尤甚。

[译文]

职业应该是努力去做的，即使每天做不完也要认真去做，不要把它当成可做可不做的假东西；权势则是一种偶然的东西，他日说给别人就给别人，所以在心里不要太认真。

一切人为恶，犹可言也，惟读书人不可为恶。
读书人为恶，更无教化之人矣。
一切人犯法，犹可言也，惟做官人不可犯法。
做官人犯法，更无禁治之人也。

[译文]

任何人做坏事都有情可原，惟有读书人不可做坏事。如果读书人做坏事，那么天下就没有可以教化百姓的人了。任何人犯法都是可以理解的，惟独做官的人不许犯法。如果做官的人犯法，那么人世间就没有可以执法的人了。

士大夫济人利物，宜居其实，
不宜居其名，居其名则德损；
士大夫忧国为民，当有其心，
不当有其语，有其语则毁来。

[译文]

从政的人救世济民为群众办实事应注重实效，不应该只图虚名，只图虚名的结果，会使自己的德行受到损失。从政的人忧国忧民要出自真心，不应该只在嘴里说说而已，如果只在嘴上说说，不付诸行动，将来会不可避免地遭到非议。

以处女之自爱者爱身，
以严父之教子者教士。
执法如山，守身如玉，
爱民如子，去蠹如仇。

[原注]

锄奸杜恶，要放他一条路去。苟使之一无所容，譬如防川者，若尽绝其流，则堤岸必溃矣。

[译文]

应像处女爱护自己身体那样自爱，应像严父教育子女那样教育自己的学子。执法如山，守身如玉，爱民如子，嫉恶如仇。

陷一无辜，与操刀杀人者何别？
释一大憝，与纵虎伤人者无殊！

[原注]

憝，恶也。高忠宪公云：恶人者，良民之蟊贼。蟊贼去而良民始安。凡讼师地棍之类，访其首恶重治，仍籍之于官，使禁其党类。一有党类诈害良民者，并其首治之。居官能思害民在何处，思过半矣。

[译文]

陷害一个无辜的人，与直接持刀杀人有什么两样？无故释放一个大恶人，与纵虎伤人的做法有什么不同？

针芒刺手,茨棘伤足,举体痛楚,
刑惨百倍于此,可以喜怒施之乎!
虎豹在前,坑阱在后,百般呼号,
狱犴何异于此,可使无辜坐之乎!

[原注]

熊勉庵云:听讼凡觉有一毫怒意,切不可用刑,即稍停片刻,待心气平和,从头再问。未能治人之顽,先当平己之忿。尝见居官者,因怒而严刑以泄忿。嗟嗟!伤彼父母遗体,而泄吾一时忿恨,欲子孙之昌盛,得乎?

吕新吾云:为上者之用威,所以行理也,非以行势也。理屈而威以劫之,则能使之死,而不能使之服矣。大盗昏夜持利刃而加人之颈,人焉得而不畏哉?伸无理之威以服人,盗之类也。又云:予尝怒一卒,欲重治之,召之久不至,减予怒之半;又久之而后至,诟之而止。因自笑曰:是怒也,始发而中节耶?中减而中节耶?终止而中节耶?惟圣人之怒,初发时便恰好,始终只是一个念头不变。

陈榕门云:前后原非两念,只是初发时,义理不能制血气耳。血气稍平,义理依然中节。人能于怒时,便想到此,自无过当之事。

生人之苦,牢狱为最,而暑月尤甚。仁人君子,既奉热审矜减之例,仿行未减者,清理一番,其重囚仍在系者,务遣狱官扫囹圄,涤枷杻,以广圣主好生之仁。又不时吊阅监簿,分别矜释,务使眼前火坑化作清凉世界。此只在当道者念头动,舌头动,笔头动,一霎时间,德被无穷矣。历观古来制酷刑及严犴狴者,必灾及其身,并祸延子孙,纪载彰彰矣。

[译文]

用针尖刺手指,用荆棘扎足部,全身都疼痛难忍,而酷刑比之残酷百倍,怎么能随便施及于人身呢?虎豹在前,陷阱在后,不断地呼叫,这跟身被囚禁有什么两样呢?执法者不能把无辜的人关进牢狱!

官虽至尊,决不可以人之生命,佐己之喜怒;

官虽至卑，决不可以己之名节，佐人之喜怒。

[原注]

先哲云：居官之难，不在依违二三，而在虚心观察。盖一人坐狱，阖户号啼；一罪爰成，妻孥典鬻。其可妄逞喜怒，任己见以从事乎？

佐贰官受杖头钱，替势要出气，子孙未有不灭绝者。历验不爽。

[译文]

不管你的官位多高，权势多大，都不能用别人的生命来满足自己的欲望和情绪；即使你的官位再低，权势再小，也不能以自己的名声节操去迎合别人的喜怒之情。

听断之官，成心必不可有；
任事之官，成算必不可无。

[译文]

断案的官员，千万不能有成见，先入为主；具体办事的官员，心中一定要计划周详，胸中无数是不可取的。

无关紧要之票，概不标判，则吏胥无权；
不相交涉之人，概不往来，则关防自密。

[原注]

汪龙庄云：居官宜省票差，公役中岂有端人？此辈下乡，势如狼虎。余尝目击而心伤之。是以昔年佐幕，每嘱主人勿轻签差；及身亲为之，尤加慎。吾愿幕之留神，尤望官之留意。

蒲留仙云：居官者不滥受词讼，即是盛德。

张梦复云：古人美王司徒之德曰：门无杂宾，此最有味。大约门下奔走之客，有损无益，主人以清正高简安静为美，于彼何利焉？可以啖之以利，可以动之以名，可以怵之以利害，则欣动其主人。主人不可动，则诱其子弟、诱其僮仆。外探无稽之言，以荧惑其视听；内泄机密之语，以夸示其交游。甚且以伪为真，将无作有，以徼幸其语之或验，则从中而取利焉。或居要津之位，或处权势之地，尤当远之益远也。又有挟术技以游者，彼皆借一艺以售其身，渐与仕宦相亲密，而遂以乘机邂会，其本念决不在专售其技也。挟术以游者，往往如此。故此辈之朴讷迂钝者，犹当慎其晋接；若狡黠便佞，好生事端，踪迹诡秘者，以不识其人、不知其姓名为善。勿曰：我持正，彼安能惑我？我明察，彼不能蔽我。恐久之自堕其术中也。

[译文]

无关紧要的政令批文，一概不能随便签发，这样，衙役们就无法滥用职权；与公务毫不相关的人物，一概不与结识，那么门户就自然严密。

无辜牵累难堪，非紧要，
只须两造对质，保全多少身家！
疑案转移甚大，无确据，
便当末减从宽，休养几人性命。

[原注]

自古仁人治狱，皆以不株连及速结为上。蒲留仙云：每见一词之中，急要不可少者，不过数人，其余皆无辜之赤子，妄被罗织者也。带一名于纸尾，遂成附骨之疽，受万罪于公门，竟属切肤之痛。而究之官问不及，吏诘不至，其实一无所用。只足以倾家破产，饱蠹役之贪囊；鬻子典妻，泄小人之私忿而已。深愿为官者，每投到时，略一审诘，当逐释之，不当逐芟之。不过一濡笔，一动腕之间，便保全多少身家，培养多少元气。从政者曾不一念及此，又何必桁杨刀锯能杀人哉！

熊勉庵云：居官行法，不能一概去杀。独不曰留意开释，常存生意乎？一在疑似勿杀，二在株连勿杀，三在贿托勿杀，四在为人胁从勿杀，五在已经降顺勿杀。

又云：刑法之设，原非得已。有可生之路，而不为之急白，是亦杀也。居官点狱，岂可拘守前案，奉承上司，而见死不救哉！

杀人以媚人意，不过谓雷霆之下，恐有不测，惧以身为之继耳！然徐有功、狄梁公，俱以辩冤获罪，濒危不死，而希旨罗织者，往往以及其身。死生有命，安可中立祈免！即不幸死于救人，与死于杀人之报，孰得孰失，从政者当知自处矣！

欧阳观为推官，留心谳狱，尝夜阅文书，屡废而叹。妻问之，曰："此死狱也，我求其生不得耳。"妻曰："生可求乎？"曰："求其生而不得，则死者与我两无憾也，矧求其生而有得耶？"其子修，文章名世，位至宰相。

[译文]

牵累无辜，令人难堪，但只要双方对质，便可保全许多人的名声和家庭。疑案辗转多次，没有确凿的证据，便应当从宽发落，可以保全不少涉案人的性命。

呆子之患，深于浪子，以其终无转智；
昏官之害，甚于贪官，以其狼藉及人。

[原注]

滥准、株连、差拘、监禁、保押、淹留、解审、照提，此八者，狱情之大忌也，仁人之所隐痛也，居官者慎之。

[译文]

愚蠢和痴呆的人造成的祸患比浪子还要大，因为他毕竟无法再变得智慧和聪明；昏庸的官吏对百姓造成的危害比贪官还要严重，因为昏官更容易胡乱伤害人民。

官肯著意一分，民受十分之惠；
上能吃苦一点，民沾万点之恩。

[原注]

汪龙庄云：居官者，怠之祸人，甚于贪酷。贪酷有迹，著在人口；阘冗之害，万难指数。受者痛切肌肤，见者不关痛痒。闻者或且代为之解曰：官事殷忙，势不暇及。官遂习为故常，而不知孽之所积，神实鉴之。夫民以力资生，荒其一日之力，即窘其一日之生。

余居乡时，见人赴城投状，率皆两日往还。已而候批，已而差传，倩亲觅友，料理差房，营营奔走，动辄经旬。至于示审有期，又必邀同邻证，先期入城；并有亲友之关切者，偕行观看。及至临期示改，或狡者有所牵引，谕俟覆讯，则期无一定，或三五日，或一二十日，差不容离，民须守候。工商矿业，农佃雇替，差房之应酬，城寓之食用，无一可省。迨事结，而两造力已不支，辗转匮乏，甚有羁縻公所，饥寒疾病，因而致死者。呜呼！官若肯勤，何至于是？其负屈不审，抑郁毕命者，无论已。更有事遭横逆，不得已告官，候之久而批发，又候之久而传审，中间数日，横逆之徒，复从而肆扰，皆怠者滋之害也。故莫善于受牒时诘讯，虚即发还，其准理者，越夕批发，克期讯结。官止早费数刻心，省差房多方需索，养两造无限精神，此居官第一阴德事也。

[译文]

做官的人只要多一分关心百姓的诚意，百姓就会受到十分的好处；做官的人只要肯多吃一点苦，百姓就会得到万点的恩惠。

礼繁则难行，卒成废阁之书；
法繁则易犯，益甚决裂之罪。

[译文]

礼节规定得越多就越是难于执行，最后就像束之高阁的书本，成为一堆无用的废纸；法律制定得过于庞杂，百姓动手抬脚就会触犯，其危害甚至比死罪更大。

善启迪人心者，当因其所明而渐通之，
毋强开其所闭；
善移易风俗者，当因其所易而渐反之，
毋强矫其所难。

[原注]

居官以化导为事，更宜知此。吕新吾云：十分见识人，与九分者说，便不能了悟，况智愚相去远甚乎？所贵有识而居人上者，正以其能就无识之人，因其微长而善用之也。不但得体,亦可集事。

[译文]

善于教育民众的人,应该采用由浅入深的方法,从他们已经明白的地方因势利导,而不能强迫他们去接受他们还不明白的道理;善于移风易俗的人,应从民众容易接受的地方入手循循善诱,不要强迫他们去改变难以改变的风俗。

非甚不便于民,且莫妄更;
非大有益于民,则莫轻举。

[原注]

居官者,须视俗以施教,察失而立防,是当今政教之极则也。

[译文]

政令不是对百姓特别不利的,不要轻易改变;不是对百姓特别有益的,不要随便颁布执行。

情有可通,旧有者不必过裁抑,
免生寡恩之怨;
事在得已,旧无者不必妄增设,
免开多事之门。

[原注]

若理当革,时当兴,合于事势人情,则非所拘矣。

[译文]

情有可原,只要能行得通,就不要将原有的政策规章过分裁减或废止,以免招致缺少恩德的怨恨;事在可行,就不要将原来没有的机构随意增设,可免生事端。

为前人者,无干誉矫情,

立一切不可常之法，以难后人；
为后人者，无矜能露迹，
为一朝即改革之政，以苦前人。

[原注]

此不惟不近人情，政体自不宜尔。若恶政弊规，不妨改图。只是浑厚，便好。

[译文]

作为前人，不要为了自己的名声而造作，制定许多不符合实际的法律法规，使后来的执政者作难；作为后来的执政者，不要骄傲，更不能为炫耀自己而标新立异，制定一些施行不久即要改掉的政策法令，来为难前人。

事在当因，不为后人开无故之端；
事在当革，无使后人长不救之祸。

[原注]

吕新吾云：新法非真有益于前，且无累于后，不可立也；旧法非于事万无益，于理大有害，不可更也。要在文者实之，偏者救之，敝者补之，流者反之，怠废者申明而振作之。此治体调停之中策，百世可循者也。

又云：一法立而一弊生，诚是。然因弊生而不立法，未见其为是也。夫立法以禁弊，犹为防以止水也。堤薄土疏，而乘隙溃决，诚有之矣，未有因决而废防者。无弊之法，虽尧舜不能；生弊之法，亦立法者之拙也。故圣人不苟立法，不惩小弊而废良法，不因一时之弊而废可久之法。

又云：君子办大事，十利而无一害，其举之也必矣。不得已而权其分数之多寡，利七而害三，则吾全其利而防其害。又较其事之轻重，亦有九害而一利者为之，所利重而所害轻也，所利急而所害缓也，所利难而所害可救也，所利久长而所害一时也。此难为浅见薄识者道。

陈榕门云：就利害中权其多寡、重轻、缓急、久暂，此为政至当不易之权衡度量也。

［译文］

应当因袭的法令，就应该继续执行，以免为后人无故开了个轻易改变法令的念头；应当改变的陋规，就应该坚决改变，不要给后人留下无法补救的祸患和难题。

利在一身勿谋也，利在天下者谋之；
利在一时勿谋也，利在万世者谋之。

［原注］

吕新吾云：法有九利，不能必其无一害；法有始利，不能必其不终弊。无知之口，乃执一害终弊之说，而讪笑之。不曰天下本无事，安常袭故何妨！则曰事势本好为，好动喜事何苦！至大坏极敝，瓦解土崩，而后付之天命焉。呜呼！国家养士何为哉！士君子委质何为哉！儒者以宇宙为分内事何为哉！

［译文］

如果一件事做了，只对自己有利，那么就不要去做。如果对天下百姓都有好处，则应该积极谋划。如果这件事做了，好处只在眼前一时，那么就不要去做，应该为百姓去谋取万世之利。

莫为婴儿之态，而有大人之器。
莫为一身之谋，而有天下之志。
莫为终身之计，而有后世之虑。

［原注］

总是为天下，不为一身；计久远，不计目前。可为居官者法。

［译文］

不要做出小孩子的姿态，而要有大人的器度。不要为自己谋私利，应该有志在四方的远大理想和抱负。不要只谋划自己的一生，而应该为子孙后代的长远利益认真谋划与考虑。

用三代以前见识，而不失之迂；
就三代以后家数，而不邻于俗。

[原注]

陈榕门云：学古易迂，随时易俗。不迂不俗，自有一番援古证今、变通官民的道理。

[译文]

夏、商、周三代以前的道理见识现在可以采用，但不能失于迂腐；夏、商、周三代以后的师法传授、治家方法可以采用，但不要落入俗套。

大智兴邦，不过集众思；
大愚误国，只为好自用。

[译文]

有大智慧的人能够兴国安邦，但那不过是把众人的智慧总结在一起的结果；那些愚蠢固执的当权者之所以误国误民，都是刚愎自用的结果。

吾爵益高，吾志益下。
吾官益大，吾心益小。
吾禄益厚，吾施益博。

[译文]

我的爵位越高，我的追求越是低下。我的官职越大，我的欲望越小。我的俸禄越多，我的施舍就越是广博。

安民者何？无求于民，则民安矣。
察吏者何？无求于吏，则吏察矣。

[译文]

怎样才能使百姓安居乐业呢？即不要向百姓索取财物，则百姓就可以安居乐业了。怎样才能考察出官吏的好坏呢？即不要向官吏求取财物，那么官吏的好坏就可以考察清楚了。

不可假公法以报私仇，
不可假公法以报私德。
天德只是个无我，王道只是个爱人。

[原注]

陈榕门云：体用一原的道理，说得如画沙印泥。

[译文]

不能借国家的政策法令来报私怨，也不能借国家的政策法令来报私恩。公德在于无私无我，王道仁政在于保民爱民。

惟有主，则天地万物自我而立；
必无私，斯上下四旁咸得其平。

[译文]

宇宙间惟有公心，那么天地万物才能够自由存在，独立演化；宇宙间只有无私，那么上下四方就能和谐均平。

治道之要，在知人。
君德之要，在体仁。
御臣之要，在推诚。
用人之要，在择言。
理财之要，在经制。
足用之要，在薄敛。
陈寇之要，在安民。

[译文]

　　治国之道的关键,在于了解人使用人;君王德行的关键,在于对臣民能够做到体恤和仁爱;统御臣下的关键,在于待之以诚;用人的关键,在于能够听进并采用他有道理的话;理财的关键,在于建立一套完整的经济制度;丰衣足食的关键,在于轻徭薄赋;搞好治安清除盗匪的关键,在于使百姓丰衣足食安居乐业。

未用兵时,全要虚心用人;
既用兵时,全要实心活人。

[译文]

　　不打仗的时候,一定要虚心选拔人才;战争一旦打起来时,一定要有仁慈之心,要以保护生命为宗旨。

天下不可一日无君,故夷、齐非汤、武,明臣道也。不然,则乱臣接踵而难为君。
天下不可一日无民,故孔、孟是汤、武,明君道也。不然,则暴君接踵而难为民。

[译文]

　　国家不能一日无主,所以伯夷、叔齐以此否定商汤和周武王,用以阐明如何为臣的道理。不这样,逆臣一个接着一个产生,君主是很难治理的。

　　国家也不能一日没有百姓,所以孔子和孟子肯定商汤和周武王,用以阐明如何为君的道理。不这样,像夏桀、殷纣这些暴君一个接着一个产生,而百姓就无法生存下去。

庙堂之上,以养正气为先;
海宇之内,以养元气为本。

[原注]

能使贤人君子无郁心之言，则正气伸矣；能使群黎百姓无腹诽之语，则元气固矣。此万世帝王保天下之要道也。陈榕门云：就人才上论，则为正气；就百姓上论，则为元气。庙堂之正气不失，则海宇之元气自固，圣贤以及万民，其理如此。

[译文]

在朝廷上，应把倡导正气放在第一位；在国家中，应该以抚养元气为根本。

人身之所重者元气，
国家之所重者人才。

[译文]

对于一个人的身体来说，最重要的是如何保持它的元气；而对于一个国家来说，最重要的是如何培养以及正确使用人才。

惠吉类

圣人敛福,君子考祥。
作德日休,为善最乐。

[译文]

圣人注意福泽的积累,君子关注事业的成功。他们天天做有益于别人的美事,把行善当成自己一生最大的快乐。

开卷有益,作善降祥。

[译文]

翻开书卷学习就有好处,天天做善事上天就会降下福泽和吉祥。

崇德效山,藏器学海。
群居守口,独坐防心。

[译文]

一个人要有像大山一样的高尚德行,要有像海洋一样的器量和才能。和众人处在一起时少说为佳,个人独处时要防止邪念产生。

知足常乐,能忍自安。

[译文]

懂得满足，生活中就会天天感到快乐；能够做到忍耐，生活中就会天天得到平安。

穷达有命，吉凶由人。

[译文]

人的一生是穷困潦倒还是兴旺发达，起决定性作用的是命运；至于具体的吉凶祸福，起决定性作用的是个人。

以镜自照见形容，以心自照见吉凶。

[原注]

陆文安公《论洪范五福》云：实论五福，但当论人一心，若其心邪，其事恶，纵使目前富贵，自正人观之，无异在囹圄粪秽中也，何福之有！其心正，其事善，虽在贫贱患难中，心自亨通。自正人观之，即是福德。作善降之百祥，作不善降之百殃。积善之家，必有余庆；积不善之家，必有余殃。但自考其心，则知福祥殃咎之至，如影随形，如响应声，必然之理也。

[译文]

自己照镜子只能看到容貌仪表，只有用心灵反省自己的言行才可预测未来的吉凶祸福。

善为至宝，一生用之不尽。
心作良田，百世耕之有余。
世事让三分，天空地阔。
心田培一点，子种孙收。

[译文]

善良是世界上最宝贵的东西，如果你能守住它，一生都会用之不尽。以心灵作良田，耕作百世都会绰绰有余。处理任何事物都让人三分，自己前面的路则会天广地阔。时常注意在心里培养此种善德，那么子孙后代则会代代有所收获。

要好儿孙，须方寸中放宽一步。
欲成家业，宜凡事上吃亏三分。
[译文]
要想有优秀的儿孙，自己做事时必须宽宏大量；想要创造出一个丰厚的家业，遇事就得能吃得起亏。

留福与儿孙，未必尽黄金白镪。
种心为产业，由来皆美宅良田。
[译文]
想给子孙留点福泽，不一定都是黄金白银；以修养身心为产业，则后代子孙必然会得到良田美宅。

存一点天理心，不必责效于后，子孙赖之；
说几句阴骘话，纵未尽施于人，鬼神鉴之。
[译文]
只要心中存有的天理良心不完全泯灭，即使没有立即在自己身上见效，而子孙后代自会依赖它而得到福祉。说几句积阴德的公道话，即使没有完全施惠于人，鬼神也会知道你的善心。

非读书，不能入圣贤之域；
非积德，不能生聪慧之儿。
[译文]
不刻苦读书，就不能进入圣贤堂奥；不行善积德，便不能生出聪慧儿女。

多积阴德,诸福自至,是取决于天。

尽力农事,加倍收成,是取决于地。

善教子孙,后嗣昌大,是取决于人。

事事培元气,其人必寿;

念念存本心,其后必昌。

[原注]

儿孙心上影,天道暗中灯。

[译文]

多做善事,很多福气自然就会到来,这取决于上天。努力耕耘,取得丰收,这取决于土地。教导子孙有高尚品德,后代自然就会昌盛,这取决于人事。凡事培养浩然正气,其人必然长寿;每一念头都从善心出发,后代一定兴旺。

勿谓一念可欺也,须知有天地鬼神之鉴察。

勿谓一言可轻也,须知有前后左右之窃听。

勿谓一事可忽也,须知有身家性命之关系。

勿谓一时可逞也,须知有子孙祸福之报应。

[译文]

为人不能有任何可以欺骗别人的想法,要知道天地鬼神能洞察一切;不要以为自己的一句话可以随便说出,要知道随时会有人暗中偷听;不要以为这是一件小事可以随意疏忽,要知道它往往会和你的身家性命休戚相关;不要以为可以为逞一时之快而轻举妄动,要知道会在子孙后代那里得到报应。

人心一念之邪,而鬼在其中焉,

因而欺侮之,播弄之,昼见于形像,

夜见于梦魂，必酿其祸而后已。
故邪心即是鬼，鬼与鬼相应，
又何怪乎！
人心一念之正，而神在其中焉，
因而鉴察之，呵护之，上至于父母，
下至于儿孙，必致其福而后已。
故正心即是神，神与神相亲，
又何疑乎！

[原注]

魏恭简公云：人心之灵，他人有善有不善，皆能知之。天道至灵，偪塞处都是鬼神，昭布森列。思虑未起，鬼神未知；方寸起思虑，鬼神早知了。信乎，神不可欺。

[译文]

人的心中只要有一点邪念产生，鬼怪也就会跟踪而至。于是鬼就会欺负你，捉弄你，使你白天精神恍惚仿佛有鬼在身边，夜里也不得安宁，梦里时常见鬼，必定酿成祸事才会停顿。所以邪恶的心思就是鬼，鬼与鬼呼应在一起，这有什么值得奇怪的呢！

人的心中有一点刚正的念头，于是神灵就会陪伴你。由于神灵的鉴察和呵护，不仅你自身，甚至上至父母下及子孙也都会受到神的保佑和恩赐。所以心中刚正、善良就是神，神与神相亲，这又有什么可以怀疑的呢！

终日说善言，不如做了一件；
终身行善事，须防错了一件。
物力艰难，要知吃饭穿衣，谈何容易！
光阴迅速，即使读书行善，能有几多？

[译文]

天天只说好话，不如做一件实实在在的善事；一辈子都做善事，但要高度警惕千万不要做错一件事。生活是艰难的，要知道穿衣、吃饭谈何容易！时光飞逝，即使一辈子坚持读书行善，又能做出多少善事呢？

只字必惜，贵之根也。
粒米必珍，富之源也。
片言必谨，福之基也。
微命必护，寿之本也。

[译文]

书本必须爱护，因为它是通向显达的根本；粒米必须珍惜，因为它是通向富贵的源头；说话必须谨慎，因为它是福祉的根基；微小的生命必须保护，因为它是长寿的本源。

作践五谷，非有奇祸，必有奇穷；
爱惜只字，不但显荣，亦当延寿。

[译文]

糟蹋粮食，即使没有突如其来的灾祸，最后也会必然导致家庭的贫穷；刻苦读书，不但能得到高官厚禄荣华富贵，而且也能延年益寿。

茹素非圣人教也，好生则上天意也。

[原注]

汪凝夫云：持斋戒杀，固是好事，然非中道，不能尽人为之，顾口腹有必当严戒者。孽报惟食牛最重，《感应记》言之凿凿。余在湖南，闻丙子科乡试，有士子杨某，素号能文，头场膳真毕，于卷面书"平生未损阴骘，但于牛肉未能严戒"十四字，因此被贴。又闻人好食牛肉，于卧病时，有作牛鸣而死者。故食牛所当首戒，至食犬，并宜严戒。他如虾蟆为稼食虫，以及鳗鳝、龟鳖、螺蛳之属，可不食者，即可戒食。余则尝于《孟子》所云："见其生，不忍见其死。闻其声，不忍食其肉。"更守无故不杀之戒，多留一物躯命，即多培一日善根。举斯心加诸彼，由爱物之心推之，福德何量！

梁敬叔云：吴门董个亭封翁，尝以歉岁，见农夫无力卒岁，以耕牛售诸屠肆，乃倡义邀绅士集资，于城外辟一园，如所售之价，买牛而牧之。春作时，听本人取赎，每岁活牛无算。道光癸卯，吴中大水洊饥，吾乡林少穆先生，适为廉访，亦以冬买牛，春听赎，次年农事借以补苴，遐迩颂之，其法盖仿自董氏云。

此法甚善，遇歉岁时，有心人能担此善举者，其功德真不可思议也。

高忠宪公《家训》云：少杀生命，最可养心，最可惜福。一般皮肉，一般痛苦，物但口不能言耳！不知其刀俎之间，何等苦恼！我却以日用口腹，人事应酬，绝不为彼思量，岂复有仁心乎？供客勿多肴品，兼用素菜，切切为生命算计。稍可省者，便省之。省杀一命，于吾心有无限安处。积此仁心慈念，自有无限妙处，此为善中一大功课也。

陈几亭《家训》云：凡疾病祈祷，勿杀生。尝见"莲池戒杀文"中有此条，悲惨恳恻，悚动狂迷，深助儒理。凡信祈祷者，大抵愚夫愚妇。彼心惊怖地狱，崇信轮回杀生，乃佛家首戒，何独于禳灾之期？反不信而故犯，死生有命，不足与言。就其所明，引而禁之，亦应止矣。

世人每逢生辰，或逢生子，多有宰杀生灵，酣歌称庆者，深堪怪叹！姑无论以有用之财，花销于无益之地，而庆我命生，致物命死，于心安乎？于理当乎？

[译文]

吃素的主张不是圣人所教导的，而珍惜生命确实是上天的本意。

仁厚刻薄，是修短关。

谦抑盈满，是祸福关。

勤俭奢惰，是贫富关。

保养纵欲，是人鬼关。

[译文]

性格仁厚和为人刻薄，关系到一个人寿命的长短；谦虚谨慎和骄傲自满，关系到一个人得到的是福泽还是灾难；勤俭节约和奢侈懒惰，关系到一个人是贫穷还是富有；珍惜保养生命和纵欲无度，关系到一个人是生还是死。

造物所忌，曰刻曰巧；

万类相感，以诚以忠。

做人无成心，便带福气；

做事有结果，亦是寿征。

[译文]

万物的主宰者最不愿意看到的是刻薄和取巧，应用诚意和忠实使万物相互感应。做人没有成见便会福气到来，做事有始有终便是长寿的象征。

执拗者福轻，而圆通之人其福必厚；

急躁者寿夭，而宽宏之士其寿必长。

[译文]

性格固执的人，福分极少；而处事豁达的人，福分极多。脾气急躁的人活不长久；而宽宏大量的人，寿命则会很长。

谦卦六爻毕吉，恕字终身可行。

[译文]

谦卦的六则爻辞全是吉祥之语，一个"恕"字可以用之终身。

作本色人,说根心话,干近情事。

[译文]

做真正的我,说自己心里的话,做合乎情理的事。

一点慈爱,不但是积德种子,
亦是积福根苗。试看那有不慈爱底圣贤?
一念容忍,不但是无量德器,
亦是无量福田。试看那有不容忍底君子?

[译文]

有一点慈爱之心,不只是积累道德的种子,而且是积累福气的幼苗。试看普天下哪有不慈爱的圣人贤哲?有一点容忍之心,不只是无量的德器,而且也是无量的福田。试看普天下哪有不宽容的君子?

好恶之念,萌于夜气,息之于静也;
恻隐之心,发于乍见,感之于动也。

[原注]

汤潜庵临终时戒子曰:《孟子》言:乍见孺子入井,皆有怵惕恻隐之心。汝等当养此真心,真心时时发见,则可上与天通。若但依成规,袭外貌,终为乡愿无益也。许多事业,都从这点真心推暨出来。先生得力在此,宜其临终犹谆谆也。

[译文]

人的念头无论善恶,全是在夜阑更深时候萌生的,最后亦在清静处得以平息;人的怜悯之心,全是在短暂的一瞬间萌生的,并感发于行动时。

塑像栖神,盍归奉亲;

造院居僧,盍往救贫。

[原注]

古语云:世间第一好事,莫如救难怜贫。人若不遭横祸,施舍费得几文!人诚能约己济人,色色为贫人算计,存些盈余,以救急难,去无用可成大用,积小惠可成大德。乃富人惜财如恤血,目击困苦颠连,而睽睽相视,毫不动心。以为生财之道宜如此,不知财生而心先死矣。心既死,财其能长生乎?至如小本贫民,肩挑贸易,受尽苦辛,觅得几文微利,为一家性命所系,其遇可矜,其情可悯。我却要在他身上讨便宜,甚或用重秤,使小钱,犹自以为得计。不知穷人资此以养生,多不过数文钱耳。在我视之颇轻,而彼之含怨最重。只此小节,而其人之生平可见矣!况折其一日之本,即窘其数日之生,所省甚微,所损实大,吾辈戒之。

[译文]

塑造神像,供奉神灵,为什么不去侍奉双亲?建造庙观,养育僧尼,为什么不去救济贫困百姓?

费千金而结纳势豪,孰若倾半瓢之粟,以济饥饿!
构千楹而招来宾客,何如葺数椽之茅,以庇孤寒!
悯济人穷,虽分文升合,亦是福田;
乐与人善,即只字片言,皆为良药。

[译文]

与其耗费大量钱财结交权贵,还不如拿出半瓢粮食去救济饥饿的人!与其花费巨资去建筑高楼大厦招来宾客,还不如盖几间茅草房子以庇护天下孤冷的穷人!救助贫穷,哪怕是一文钱一升米,也是为自己耕耘福田;以与人为善为乐,说出的话哪怕只有只言片语,也是治病良药。

谋占田园,决生败子;

尊崇师傅，定产贤郎。

[原注]

弃产得产，苦乐不同。置产者宜曲为体谅，以为子孙永远之计。若以产业为冤业，非但为子孙作马牛，真为子孙作蛇蝎耳。先辈诗云："一派青山景色幽，前人田土后人收。后人收得休欢喜，还有收人在后头。"

[译文]

一个人如果把心思全部用在如何广占田园上，那么他的后代必定会有败家之子；一个人如果把心思全部用在尊师重教方面，那么他家一定会生养出品德高尚才华超群的优秀子孙。

平居寡欲养身，临大节则达生委命；
治家量入为出，干好事则仗义轻财。

[原注]

王阳明云：世人把身命看得太重，不问当死不当死，定要委曲保全，以此把天理都丢去了。若违了天理，便与禽兽无异！就是偷生在世千百年，不过做了千百年的禽兽。学者于此等处，最要看得明白。

窦公燕山，治家惟尚俭素，每量岁之所入，除伏腊供给外，余皆济人。梦祖父谓之曰：汝本无子，且不寿，数年来阴功浩大，已名挂天曹，增寿三纪，五子俱荣。后五子登第，俱显贵。公为左谏议大夫，年八十有二。沐浴别亲友，视死如归，谈笑而逝。八孙皆贵。范文正公深信天道，丝毫不疑。详记其事于策，以示子孙。

[译文]

平时生活中一定要清心寡欲修养身心，一旦面临重大关头，就能临危不惧，从容效命；治家一定要量入为出，注意节俭，为坚持正义而做好事时，就能做到依仗正义轻视钱财。

善用力者就力，善用势者就势。
善用智者就智，善用财者就财。

惠吉类　217

[原注]

陈榕门云：人生最难得者，力也、势也、智也、财也。此四者用之于正，何善之不可为！用之于邪，何恶之不可作！总要在人善用耳。四就字，有不肯错用此四者、不肯轻置此四者之意。然人尝有云：我非不欲为善，只是无势力财智。愚谓是亦在人耳。有势力者，以势力行善，有财智者，以财智行善，固已。即无势力财智而以公正之论，行规劝之道，未尝非善。甚至人微言轻，规劝亦不足取信，不妨存一点是是非非之公心。毋嫉善而暴恶，毋幸灾而乐祸，毋口是而心非，毋欺愚而饰智，是亦善也。孟子曰："乃若其情，则可以为善矣。"此之谓也。

[译文]

善于用力的人就应该用好自己的力量，善于运用权势的人就去努力制造声势，善于运用智慧的人就去充分利用才能和机智，善于运用钱财的人就去管理钱财。

身世多险途，急须寻求安宅；
光阴同过客，切莫汩没主翁。

[原注]

刘馧云：人之有心，如树之有根，果之有核也。根拔则树朽，核蛀而果坏，此一定之理。岂人心既丧，而反独无所害乎？

吕新吾云：属纩之时，般般物皆带不得。惟是带得此心，却教坏了，是空身归去矣，可为万古一恨。

陈榕门云：心者何？理也。存顺没宁，无非争这些子。

[译文]

人生路上险象丛生，急须寻求一处能够避难的平安之所；光阴如同过客匆匆而去，自己的年华不能虚度，更不能使此生沉沦。

莫忘祖父积阴功，须知文字无权，全凭阴骘；
最怕生平坏心术，毕竟主司有眼，如见心田。

[原注]

若要文章惊世眼,全凭阴骘合天心。

汪龙庄云:余三十九岁领乡荐,谒本房师曾公,言八月十六日,漏下二十刻,余卷已阅讫置几右,睫甫关,忽有瓦坠于几,斜压余卷,厚不盈一指,而苔痕斑剥,急取卷覆校,藏于箧。方就寝,又闻几上有声,则余卷出箧陈几,而瓦失所在。次早呈荐,两座主深为击节。已定元十日,陆耳山师欲传衣钵,改置第三。问余有何阴骘,得致此祥?余曰:当是先人荫耳。嗣晤榜首许春严,遂同谒两主考,俱述飞瓦事,交相诧异。内帘深夜,户牖皆闭,瓦之去来,真不可解。传其事者,咸谓吾母苦节之报云。

又云:余十八岁,初应乡试,有同号生,呼求换卷。提调盐驿道赵公,见其卷前后,各书一好字,如杯大。问之。生曰:某卷完,熟睡,梦人伸手入帘曰:汝今科必中。令于手心手背,各书一好字,不料俱在卷上也。赵公曰:好字,于文为女子。汝自问平日有罪过否?生再三哀吁,貌若甚恐。场中有鬼神,可不惧欤!

[译文]

不要忘记祖辈积蓄下来的阴德,在考场上,文字本身不会产生什么力量,能否考中全凭阴德。人一生最可怕的是心眼变坏,但主考官的眼睛毕竟是雪亮的,一下子就能看穿士子的心。

天下第一种可敬人,忠臣孝子。
天下第一种可怜人,寡妇孤儿。
孝子百世之宗,仁人天下之命。

[译文]

天下最可敬的人是忠臣孝子,最可怜的人是寡妇和孤儿。孝子是百代宗师,仁人乃天下根本。

形之正,不求影之直而影自直。
声之平,不求响之和而响自和。

惠吉类

德之崇，不求名之远而名自远。

[译文]

只要自己身子端正，不要求影子端正，而影子也会自己端正。发出的声音谐调平和，不要求回响谐调平和，回响也会自己谐调平和。有高尚的道德品质，不要求名声远扬，而名声自然就会传遍天下。

有阴德者，必有阳报；
有隐行者，必有昭名。

[译文]

一个积了阴德的人，在他活着的时候，必然会得到好的回报。暗中做好事的人，本来不想出名，结果也会名扬天下。

施必有报者，天地之定理，仁人述之以劝人；
施不望报者，圣贤之盛心，君子存之以济世。

[原注]

先哲云：天道福善祸淫，理固不爽。然善者获福，吾非为福而修善；淫者获祸，吾非为祸而改淫。虽善获祸而淫获福，吾宁善而处祸，不肯淫而要福，君子但尽吾性分之所当为者而已，不言祸福利害。其言祸福利害者，为世教发也。

[译文]

施舍必有好报，这是天地间不变的道理，有仁义之心的人以此劝告他人；施舍与人不希望得到回报，是圣贤为人的高尚品质，君子用这种品质来救贫济世。

面前的理路要放得宽，使人无不平之叹；
身后的惠泽要流得远，令人有不匮之思。

[原注]

熊勉庵云：做官想到去之日，做人想到死之日，便当留一二好事与人间。纵不能留好事，决不当再留不好事也。

[译文]

每做一件事都要合乎道理，把道理摆全说透，不要使人产生不公正的慨叹；留给后世的恩泽要做到源远流长，使代代都有不尽的思念。

不可不存时时可死之心，不可不行步步求生之事。作恶事，须防鬼神知；干好事，莫怕旁人笑。

[原注]

存时时可死心，则身轻而道念自生；行步步求生事，则性善而孽缘不染。善心真切，则不怕人笑矣。

[译文]

一个人应该想到随时会死，同时也应该想到时时求生之计；做坏事须提防鬼神察知，干好事则不要怕旁人笑话。

吾本薄福人，宜行惜福事；

吾本薄德人，宜行积德事。

薄福者必刻薄，刻薄则福愈薄矣；

厚福者必宽厚，宽厚则福益厚矣。

[原注]

张扬园云：土薄则易崩，器薄则易坏，酒醴厚则能久藏，布帛厚则堪久服。存心厚薄，固寿夭祸福之所由分也，人其察于用心之际哉！

[译文]

我本是福薄的人，应该做积累福气的事；自己本是德行不高的人，应该做积累道德的事。福气很少的人必定刻薄，越是刻薄，福气就会越少;福气很多的人必定宽厚,越是宽厚,福气就会越多。

有工夫读书,谓之福。
有力量济人,谓之福。
有著述行世,谓之福。
有聪明浑厚之见,谓之福。
无是非到耳,谓之福。
无疾病缠身,谓之福。
无尘俗撄心,谓之福。
无兵凶荒歉之岁,谓之福。

[译文]

有时间读书,叫做福气;有力量助人,叫做福气;有著作传世,叫做福气;有聪明纯朴的见识,叫做福气;耳朵听不到是非,叫做福气;身上没有疾病,叫做福气;心中没有尘世利害牵挂,叫做福气;没有战争和荒歉的岁月,叫做福气。

从热闹场中,出几句清冷言语,便扫除无限杀机;
向寒微路上,用一点赤热心肠,自培植许多生意。

[译文]

处在热闹场合,能说出几句清正冷静的话语,便能化解人们之间的积怨和仇恨;对贫困处境中的人,多用一点热心肠给予关爱和资助,就会培养出许多生机。

入瑶树琼林中皆宝,有谦德仁心者为祥。

[译文]

进入瑶树玉林中一切都是珍宝,有谦虚美德和仁义之心的人一生都会吉祥如意。

谈经济外,宁谈艺术,可以给用。
谈日用外,宁谈山水,可以息机。
谈心性外,宁谈因果,可以劝善。

[译文]

在谈论经济钱财之外,应经常谈论一些艺术,可以使身心得到享受。在谈论日常俗事之外,应经常谈论一些自然山水,可以使心中的一些邪念得以平息。在谈论心性之外,应经常谈论一些因果报应,可以劝人弃恶从善。

艺花可以邀蝶,垒石可以邀云,
栽松可以邀风,植柳可以邀蝉,
贮水可以邀萍,筑台可以邀月,
种蕉可以邀雨,藏书可以邀友,
积德可以邀天。

[译文]

养花可以招来蝴蝶,堆石可以聚集云雾,种松树可招清风,种柳树可招致鸣蝉,贮泉水可生出浮萍,筑高台可亲近明月,种芭蕉可听雨声,收藏图书可招引朋友,积阴德可获得上天宠爱。

作德日休,是谓福地;
居易俟命,是谓洞天。

[译文]

修养品德,日趋美善,这叫进了福地;居处平易,顺应天命,这叫入了美妙境界。

心地上无波涛,随在皆风恬浪静;

性天中有化育,触处见鱼跃鸢飞。

[译文]

心中无杂念,泰然平和,则所处皆是风平浪静;本性得到圣人教化,则处处可见到鱼翔水底鸢飞长空的美好景色。

贫贱忧戚,是我分内事,当动心忍性,静以俟之,更行一切善,以斡转之;

富贵福泽,是我分外事,当保泰持盈,慎以守之,更造一切福,以凝承之。

[原注]

若不乘此时造福,更要使性气,纵喜怒,有些子事,便不耐烦。非但自寻苦恼,不旋踵而一败涂地矣。

[译文]

贫贱忧虑是我的分内事,一定要有坚韧不拔的耐心,静静地等待机遇的来临,此时更应该去做一切能做的善事,以改变命运的捉弄;富贵荣华是我的分外事,应该保住安定美满,谨慎地守住它,更要尽自己所能,去做为他人造福的事,使自家的富贵荣华能够传承下去。

世网那能跳出,但当忍性耐心,
自安义命,即网罗中之安乐窝也;
尘务岂能尽捐,惟不起炉作灶,
自取纠缠,即火坑中之清凉散也。

[译文]

人世罗网,一旦陷入,怎能轻易跳出?只应忍耐,以待时机。这种安于现状的等待,就是生活之网中的安乐窝。要想彻底摆脱俗务,则是不可能的。只要不另起炉灶,不自寻烦恼,就是火坑中的一服清凉剂。

热不可除,而热恼可除,秋在清凉台上;
穷不可遣,而穷愁可遣,春生安乐窝中。
[原注]
困苦而忧,忧更苦;处贫而乐,乐忘贫。
[译文]
炎热酷暑无法驱除,但炎热酷暑给人带来的烦恼可以驱除,清凉的秋意已经到了清凉台上;贫穷无法排遣,但贫穷给人带来的忧愁倒是可以排遣,在安乐窝中乐而忘贫,随处可以看到春意盎然

富贵贫贱,总难称意,知足即为称意;
山水花竹,无恒主人,得闲便是主人。
[译文]
无论富贵还是贫贱,一般都难以使人满意,只有知足才能使人称心如意;自然美景山水花竹,没有永久不变的主人,谁有空闲去观赏谁就是主人。

要足何时足,知足便足;
求闲不得闲,偷闲即闲。
[译文]
人什么时候才能感到满足?自己知足便是满足;想休闲却得不到闲,能在忙中偷闲便是闲。

知足常足,终身不辱;
知止常止,终身不耻。

[原注]

杜静台《书斋对联》:"无求胜在三公上,知足常如万斛余。"名言可佩。

[译文]

知足就会常常感到满足,以至终身不受屈辱;知道停止往往才能适可而止,于是一生不会遭受耻辱。

急行缓行,前程总有许多路;
逆取顺取,命中只有这般财。

[原注]

顺者迟收之,逆者捷得之,毕竟祸福若霄壤焉。人宜何从哉?可为热中人,下一服清凉散。

[译文]

无论走得迅速或是缓慢,前方总是有那么长的路要走;无论是应该得到的或是不应该得到的,命中注定属于你的永远就是那么多。

理欲交争,肺腑成为吴越;
物我一体,参商[①]终是弟兄。

[注释]

①参商:二星名。参为二十八宿之一,位在西方。商,又叫辰和大火,二十八宿之一,与参星距离很远。参、商二星此出则彼没,两不相见。因以比喻人不能和睦相处。

[译文]

天理和人欲相互交争,自己的心灵如同吴越对阵的战场;个人与万物融为一体,即使相距遥远的参、商二星也会成为亲密无间的兄弟。

以积货财之心积学问,以求功名之心求道德,
以爱妻子之心爱父母,以保爵位之心保国家。

[译文]

为人要以积蓄货财的劲头来积累知识学问,以追求功名的心情来追求道德情操,以爱护妻子儿女之心来爱护父母,用保护自己爵位的决心来保卫国家。

移作无益之费以作有益,则事举。
移乐宴乐之时以乐讲习,则智长。
移信异端之意以信圣贤,则道明。
移好财色之心以好仁义,则德立。
移计利害之私以计是非,则义精。
移养小人之禄以养君子,则国治。
移御私敌之勇以御公侮,则兵足。
移保身家之念以保百姓,则民安。

[原注]

凡此八移,即《易》所谓"见善则迁,有过则改"者也。迁、改者,移之谓也。

[译文]

把浪费的钱财用来做有益于百姓的事,那么事业就能成功;把消耗在宴饮歌舞中的时间用来读书学习,那么智慧就会增长;用信奉歪理邪说的精力来信奉圣贤,那么方向就会明确;用追求金钱美色的心情来追求仁义,那么道德品质就会高尚完善;把计较利害的私心用来明辨是非,那么就不会出现错误行为;用供养小人的俸禄来养育君子,那么国家就会得到治理;把抵御私敌的勇气用来抵御公敌,那么就能做到兵多将广;把保护自己生命的劲头用来保护百姓,那么百姓就能安居乐业。

做大官底,是一样家数。

做好人底,是一样家数。

[原注]

陈榕门云:从好人做出大官事业,做大官不失好人本色。此为最上家数。

[译文]

做大官的有做大官的师法传授,做好人的有做好人的师法传授。

潜居尽可以为善,何必显宦!躬行孝弟,志在圣贤,纂辑先哲格言,刊刻广布,行见化行一时,泽流后世,事业之不朽,蔑以加焉。

贫贱尽可以积福,何必富贵!存平等心,行方便事,效法前人懿行,训俗型方,自然谊敦宗族,德被乡邻,利济之无穷,孰大于是。

[译文]

致仕或隐居在野也可以做善事,不一定需要显赫的官位和权势。力行孝顺父母,友爱兄弟,其志在努力学习圣贤,把先哲格言编辑成书,刊刻流传,教化众人,恩泽流芳百世,此谓不朽大业,没有比这更高尚的了。

身处贫贱依然可以行善积德,不必等到富贵发达后去做。心存公平,行动给你带来好处和方便,效法前人高尚品德,劝告世俗弃旧图新,改过从善,自然会使亲族和睦,其仁德事迹流传乡里,济世利人永无止境,难道还有比这些事更大更有意义的吗?

一时劝人以口,百世劝人以书。

[原注]

张梦复云：人能处心积虑，一言一动，常思益人，而痛戒损人，必为天地之所佑，鬼神之所服，而享有多福矣。

先哲云：流通善书，贻泽最远。人诚能重刊不朽，广布无穷，则一句善书，提醒了一点善心，成就了百世善人，非但转祸为福，直如起死回生。乃好为阻挠者，动曰不中用，甚且目之为迂，笑以为腐。噫，是绝善类也，是灭善教也。若人尽效尤，则善书几沦没而永绝于天下后世，又何异于焚书坑儒矣乎！言念及此，哭尽眼中血矣。

汪龙庄云：余十六岁时，偶检先人遗箧，得《太上感应篇注》，觉读之凛凛，自此晨起，必虔诵一遍，终身不敢放纵，实得力于此。

[译文]

用语言口头劝人行善，只在一时；用书本劝人行善，可以百代奏效。

静以修身，俭以养德；入则笃行，出则友贤。

[译文]

平心静气以修养身心，勤俭节约以培养品德；在家里行为忠厚，在外面结交贤良。

读书者不贱，守田者不饥，
积德者不倾，择交者不败。

[原注]

人宜常将此四语律身训子。

[译文]

读书的人品格不会低下，辛勤耕耘的人不会因缺乏粮食忍饥挨饿，积德的人行为正直不会因做恶事而倾家，谨慎交友者不会因结交坏人而招致败身。

明镜止水以澄心，泰山乔岳以立身，
青天白日以应事，霁月光风以待人。

[译文]

使心灵像明亮的镜子和宁静的水面那样晶莹纯洁，使人格像泰山那样崇高而耸立，使行为像晴朗的天空灿烂的太阳那样光明磊落，对待人则要像晴空的月亮和缓和的清风那样坦诚与柔和。

省费医贫，弹琴医躁，独卧医淫，
随缘医愁，读书医俗。

[原注]

此之谓国手。

[译文]

节约开支可以医治贫困，弹琴咏歌可以克服烦躁，独自睡眠可以排除色欲，一切顺乎自然可以治疗忧愁，静心读书则可医治庸俗。

以鲜花视美色，则孽障自消；
以流水听弦歌，则性灵何害？

[原注]

鲜花可爱，过目不留；流水可听，过耳不恋。

[译文]

把美色看成只能娇艳一时的鲜花，那么痴迷自会消尽；欣赏动听的音乐就像听流水发出的声响，那么就不会给心灵带来危害。

养德宜操琴，炼智宜弹棋，遣情宜赋诗，
辅气宜酌酒，解事宜读史，得意宜临书，
静坐宜焚香，醒睡宜嚼茗，体物宜展画，

适境宜按歌,阅候宜灌花,保形宜课药,
隐心宜调鹤,孤况宜闻蛩,涉趣宜观鱼,
忘机宜饲雀,幽寻宜藉草,淡味宜掬泉,
独立宜望山,闲吟宜倚树,清谈宜剪烛,
狂啸宜登台,逸兴宜投壶,结想宜欹枕,
息缘宜闭户,探景宜携囊,爽致宜临风,
愁怀宜伫月,倦游宜听雨,玄悟宜对雪,
辟寒宜映日,空累宜看云,谈道宜访友,
福后宜积德。

[译文]

培养道德应弹琴,锻炼智慧要下棋,抒发感情应赋诗,维持气氛应喝酒,了解世事应读史,得意时适宜练毛笔字,独坐时候要焚香,睡醒之后喝点茶,体验物情应作画,环境舒适要歌咏,观察天气当浇花,保持安康当种药,心安时候能逗鹤,孤独时候听虫鸣,消遣应当观鱼,心无纷扰应当养鸟,探访幽静当卧草,品尝滋味掬泉水,独自站立当望山,闲时赋诗应凭栏,晚上清谈应点烛,狂啸应当登高台,闲情来时要游戏投壶,思虑事情当卧枕,停止交友应闭门,探访美景当携囊,为讨清爽当临风,排遣愁怀立月下,厌倦客游当听雨,心有所悟当对雪,避寒应该晒太阳,疲倦时候要看云,谈论道义应访友,福泽之后积德行。

悖凶类

富贵家不肯从宽，必遭横祸；
聪明人不肯学厚，必夭天年。

[译文]

富贵人家待人应该仁慈宽容，否则就会遭到意料不到的灾祸；聪明智慧的人应该具有忠诚厚道的品质，否则自己应该享受的自然寿命就会大大缩短。

倚势欺人，势尽而为人欺；
恃财侮人，财散而受人侮。

[译文]

依仗权势欺凌别人，权势失去后就会被人欺凌；凭借财富侮辱别人，财富尽时就会被人侮辱。

暗里算人者，算的是自家儿孙；
空中造谤者，造的是本身罪孽。

[原注]

天道好还，不爽一线。未有不反中其身者。世间奸险之徒，纵不为他人谋，独不为自己虑乎？古诗云："于今看破循环理，笑倚栏杆暗点头。"

[译文]

喜欢暗地里算计别人的人，结果暗算了自己的儿孙；喜欢无中生有诽谤别人的人，到头来造成了自身的罪孽。

饱肥甘，衣轻暖，不知节者损福；
广积聚，骄福贵，不知止者杀身。

[原注]

天道忌盈，满则必覆，此理之一定者。王允昌《家训》云：凡非分之富贵，能于此看得破，远之，避之，自是天地间一好人；虽贫贱以死，光荣多矣。若念头一错，必将攘臂，何所不为，无论为千古笑骂，往往奇祸随之。吾愿子孙以此为戒。

[译文]

吃饱又肥又甜的珍贵食物，穿着又轻又暖的高级衣服，然而不懂得节制的人，自己的福分就会被上天减少；一天到晚只知积累财富，以富贵为骄傲，不知道适可而止的人，将会招致杀身之祸。

文艺自多，浮薄之心也；
富贵自雄，卑陋之见也。

[原注]

此二人者，皆可怜也，而雄富贵者，尤鄙。满面富贵气，此是市井小儿，不堪入有道门墙。

[译文]

凭着自己的文才自负，这是浮躁浅薄的表现；凭着位高财多而傲视别人，这是市井小儿的卑劣习气。

位尊身危，财多命殆。

[原注]

田静持云：位高未必危人，而祸常加之。家富未必树怨，而怨常集之者，知进而不知退,知得而不知廉也。故处世宜知退,律身须知廉。

张梦复云:人生适意之事有三:曰贵,曰富,曰多子孙。然是三者,善处之则为福,不善处之则反足为累。至为累,而求所谓福者,不可见矣。何则?高位者责备之地、忌嫉之门、怨尤之府、利害之关、忧患之窟、劳苦之薮、谤讪之的、攻击之场。古之智人,往往望而却步。况有荣则必有辱,有得则必有失,有进则必有退,有亲则必有疏。若但计邱山之得,而不容铢两之失,天下安有此理?但己身无大谴过,而外来者平谈视之,此处贵之道也。前人以货财为五家公共之物,一曰国家,二曰官吏,三曰水火,四曰盗贼,五曰不肖子孙。夫人厚积,则必经营布置,生息防守,其劳不可胜言,则必亲戚之请求,贫穷之怨望,僮仆之奸骗,大而盗贼之劫取,小而穿窬之鼠窃,经商之亏拆,行路之失脱,田禾之灾伤,攘夺之争讼,子弟之浪费,种种之苦,贫者不知,惟富厚者兼而有之。人能知富之为累,则取之当廉,而不必厚积以招怨。视之当淡,而不必深忮以累心,思我既有此财货,彼贫穷者不取我而谁取?不怨我而谁怨?平心息忿,庶不为外物所累。俭于居身,而裕于待物,薄于取利,而谨于盖藏,此处富之道也。至子孙之累,尤多矣!少小则有疾病之虑,稍长则有功中之虑、浮奢不善治家之虑、纳交匪类之虑,一离膝下则有道路、寒暑、饥渴之虑,以至由子而孙,辗转无穷,更无底止。夫年寿既高,子息蕃衍,安保无疾病痛苦之事?贤愚不齐,升沉各异,聚散无常,忧乐自别。但当教之孝友、教之廉让、教之立品、教之读书、教之择友、教之养身、教之俭用、教之作家,其成败利钝,父母不必过为萦心,聚散苦乐,父母不必忧念成疾。但念己无甚刻薄,后人自当无悖出之患;己无甚偏私,后人自当无攘夺之患;己无甚贪婪,后人自当无荡尽之患。至于天行之数,禀赋之愚,有才而不遇,无因而致疾,延良医,慎调治,延良师,谨教训,父母之责尽矣,父母之心尽矣,此处多子孙之道也。予每见世人,处好境而郁郁不乐,动多悔吝忧戚,必皆此三者之故。由不明斯理,是以心褊见隘,未食其报,先受其苦。能静体吾言,于扰扰之中,存荧荧之亮。岂非热火坑中,一服清凉散?苦海波中,一架八宝筏哉?

[译文]

身处高位的人,处境艰难;财产过多的人,生命危殆。

机者，祸福所由伏，人生于机，
即死于机也；
巧者，鬼神所最忌，人有大巧，
必有大拙也。

[原注]

今人无事不用机巧，殆未之思耳。

[译文]

所谓机，是祸和福共同潜存的地方，人因机而生，同时也会因机而死；所谓巧，是鬼神最忌讳的事，人有大巧，必有大拙。

出薄言，做薄事，存薄心，
种种皆薄，未免灾及其身；
设阴谋，积阴私，伤阴骘，
事事皆阴，自然殃流后代。

[译文]

说薄气话，做薄气事，存薄气心，一举一动一言一行全是薄气，那么自身就难免招致灾祸；心里设计阴谋，行为积累阴私，结果伤害阴德，事事离不开"阴"字，那么殃及后代亦属必然。

积德于人所不知，是谓阴德。
阴德之报，较阳德倍多；
造恶于人所不知，是谓阴恶。
阴恶之报，较阳恶加惨。

[译文]

在别人不知时做善事积阴德，阴德的回报比阳德的回报要高出一倍还多；在别人不知时做坏事积阴恶，这阴恶的回报比起对阳恶的回报将会更加惨重。

家运有盛衰,久暂虽殊,
消长循环如昼夜;
人谋分巧拙,智愚各别,
鬼神彰瘅①最严明。

[注释]

①彰瘅(dàn):即彰善瘅恶。此处的"瘅"乃憎恨之意。《尚书·毕命》:"彰善瘅恶。"疏:"彰明其为善,病其为恶。"此处的病与瘅同义。

[译文]

家庭的兴盛和衰败,时间各异,有的长一些,有的短一些,但从兴替循环的角度看,它们就像白天和黑夜相互交替一样,是无始也是无终的;人的智力有高有低,人的智谋有聪明和愚蠢的分别,但是,鬼神扬善惩恶的原则是十分严明的。

天堂无则已,有则君子登;
地狱无则已,有则小人入。

[原注]

或问天堂、地狱之说。曰:善则心体洁净,光明正大,为阳刚君子。恶则心体邪暗,偏曲昏晦,为阴柔小人。阳从阳类入乎天,阴从阴类入乎地。

[译文]

如果没有天堂就算了,如果有就是君子进入;如果没有地狱就算了,如果有就该小人下去。

为恶畏人知,恶中冀有转念;
为善欲人知,善处即是恶根。

[译文]

做了坏事就怕别人知道,坏事有变成好事的希望;做了好事就怕别人不知道，于是好事有变成坏事的可能。

谓鬼神之无知，不应祈福；
谓鬼神之有知，不当为非。

［译文］

如果认为鬼神对人事没有知觉，那么世人就不应该向鬼神祈求福禄；如果认为鬼神对人事有知觉，那么世人就不应当在鬼神日夜的监视之下做任何坏事。

势可为恶而不为，即是善；
力可行善而不行，即是恶。

［原注］

若更乘势以行善，此是大善。若更加力以作恶，此是极恶。

［译文］

有条件做坏事而不做，就是善德；有能力做好事而不做，就是恶行。

于福作罪，其罪非轻；
于苦作福，其福最大。

［原注］

颜光衷云：济人利物，无时之一分，可当有时之万分。若必待富有而后行，诚恐后来之富有不可必，而今日之美事反虚过矣。

［译文］

在日子富裕时候作孽，这种罪孽很重；在日子贫穷时候造福，这种福泽最大。

行善如春园之草，不见其长，日有所增；

行恶如磨刀之石，不见其消，日有所损。

[译文]

做好事像春天田园里的草，眼睛看不出它在生长，其实每天都在增长；做坏事就像磨刀的石头，眼睛看不到它在变薄变小，其实它每天都在减损。

使为善而父母怒之，兄弟凶之，子孙羞之，
宗族乡党贱恶之，如此而不为善，可也。
为善则父母爱之，兄弟悦之，子孙荣之，
宗族乡党敬信之，何苦而不为善！
使为恶而父母爱之，兄弟悦之，子孙荣之，
宗族乡党敬信之，如此而为恶，可也。
为恶则父母怒之，兄弟怨之，子孙羞之，
宗族乡党贱恶之，何苦而必为恶！

[译文]

假使做好事让父母生气，兄弟埋怨，子孙感到羞耻，同族同乡的人感到讨厌，如此不去做也是可以的。如果做好事让父母感到高兴，兄弟喜欢，子孙感到光荣，同族同乡的人敬重信任，那么，何苦不去做这些好事？假使做坏事让父母喜爱，兄弟高兴，子孙感到光荣，并且能得到同族同乡人的敬重和信任，这样的坏事就可以去做。假使做坏事使父母生气，兄弟埋怨，子孙感到羞耻，同族同乡的人感到讨厌，那么何苦要去做这些坏事？

为善之人，非独其宗族亲戚爱之，
朋友乡党敬之，虽鬼神亦阴相之；
为恶之人，非独其宗族亲戚叛之，
朋友乡党怨之，虽鬼神亦阴殛之。

[译文]

做好事的人，不独他的宗族亲人热爱他，朋友乡人敬重他，甚至连鬼神也在暗中相助；做坏事的人，不仅他的宗族亲戚背叛他，朋友乡人怨恨他，甚至连鬼神也在暗地惩治他。

为一善而此心快惬，不必自言，
而乡党称誉之，君子敬礼之，
鬼神福祚之，身后传诵之；
为一恶而此心愧怍，虽欲掩护，
而乡党传笑之，王法刑辱之，
鬼神灾祸之，身后指说之。

[原注]

此二者，孰得孰失？

[译文]

一个人做了一件好事，内心感到高兴愉快，不必自己说出，而乡亲就会自己称赞，君子就会自己敬重，鬼神也会暗中赐福，死后也会被人传诵；一个人如果做了一件坏事，内心感到羞耻和惭愧，即使千方百计进行掩饰，而乡亲们也会传为笑谈，王法不仅无法逃脱，鬼神也会暗中降灾，即使死后依然受人唾骂不已。

一命之士，苟存心于爱物，于人必有所济；
无用之人，苟存心于利己，于人必有所害。

[译文]

做官的人，假如有爱物之心，那么他对别人一定有所帮助；无用的人，假如有颗利己的心，那么他对别人一定会造成危害。

膏粱积于家，而剥削人之糠籺①，

终必自亡共膏粱；

文绣充于室，而攘以人之敝裘，

终必自丧其文绣。

[原注]

人谓不知足者，无时而足。吾谓不知足者，必有时而真不足也。周石藩云：人心无厌，得陇望蜀，势所必至。告之以蜀不必望，退而守陇足矣，而其心且拂然怒；必至求蜀不得，并其陇而亦失之，而后悔其心之过奢，才之妄用也。人情往往如此。

[注释]

①糠覈（hé）：指粗糙食物。

[译文]

自己家里堆满精美的食品，却要去剥削掠夺别人家的糟糠粗食，最后必然会失去自己存放的精美的食品；自己家里放满锦绣衣服，却还要夺取别人家的破烂衣服，最后自家的锦绣衣服也会全部失去。

天下无穷大好事，皆由于轻利之一念。

利一轻，则事事悉属天理，

为圣为贤，从此进基；

天下无穷不肖事，皆由于重利之一念。

利一重，则念念皆违人心，

为盗为跖，从此直入。

[原注]

曹凝庵云：天下无舍不得钱之好人也。余尝谓鄙吝之人，为天下之大恶人，谓其心之不仁也；亦天下之大愚人，谓其心之不智也。君子亦仁而已矣，智而已矣。未有仁智之人，而无慷慨之行者。恻隐之心，是天地生人的种子，重了财，不肯救济，这点灵根，渐消渐灭，便卖绝生生世世人的种子了。

陈几亭云：谚称富人为财主，言其主持钱帛也。祖父传业，虽不可浪费。然约己周人，则业不堕而德可行。今之多财者，皆役于财者也。能守能散，是名财主；日悭日吝，是名财奴。世有一种人，其待兄弟亲戚故旧也，丝毫必较；及争虚体面，为无益之事，则不惜无穷浪费，此全不知本末轻重，而丰俭倒施者也。夫人至于丰俭倒施，岂尚有善行足观也哉？

[译文]

天下无穷无尽的大好事善事，都是由于受轻利思想的支配而做出来的。在人的心中，只要有了轻利思想，就会把每件事处理得符合人心天理，成为圣人君子，也就是从这轻利二字打下基础；天下成千上万的坏事，都是由于受重利思想的支配而做出来的。在人们的心里，只要有了重利思想，那么对每件事情的处理就会违背人心背离天理，最后甚至成为盗贼，就是从这重利思想直接开始的。

清欲人知，人情之常。
今吾见有贪欲人知者矣，
朵其颐，垂其涎，
惟恐人误视为灵龟而不饱其欲也；
善不自伐，盛德之事，
今吾见有自伐其恶者矣，
张其牙，露其爪，
惟恐人不识为猛虎而不畏其威也。

[译文]

清廉的人很想让人知道自己的清廉，这是人之常情。现在我却看到有些贪婪的人也想让人知道自己的贪婪，鼓动着腮颊，流着口水，惟恐别人把他当做灵龟而不能满足他的欲念似的。善良而不自我夸耀，这是品德高尚的事，现在我看到有人夸耀自己的凶恶，张牙舞爪，面目可憎，惟恐别人不知道他是凶猛的老虎而不畏惧他的权势似的。

以奢为有福，以杀为有禄，
以淫为有缘，以诈为有谋，
以贪为有为，以吝为有守，
以争为有气，以嗔为有威，
以赌为有技，以讼为有才。

[原注]

末劫茧茧，颠倒滋甚，良可浩叹。先辈诗云："阴功须向生前积，孽债休令身后还。"宜猛省之。

[译文]

把奢华生活当做有福气，把嗜杀当做财富俸禄，把淫乱污秽当做有缘分，把欺诈当做谋略智慧，把贪污受贿当做有作为，把吝啬当做会理财，把争夺看成有气势，把嗔怒当做有威风，把赌博看成有技术，把诉讼时没理说成有理当做有辩才。

谋馆如鼠，得馆如虎，
鄙主人而薄弟子者，塾师之无耻也。
卖药如仙，用药如颠，
贼人命而诿天数者，医师之耻也。
觅地如瞽，谈地如舞，
矜异传而谤同道者，地师之无耻也。

[原注]

世人有三无耻，人每以神明事之，可恨！

[译文]

寻找教师职位时胆小如鼠，得到教师职位后威猛如虎，鄙视主人，苛待学生，这是私塾老师的无耻；卖药时像神仙一样吹嘘自己的药如何灵验，用药时像疯子一样乱开处方，残害了病人生命却推诿天数已尽，这是医生的无耻；寻找风水宝地时像瞎子一样胡乱指点，谈论风水宝地时眉飞色舞，自夸其异传，又诋毁自己的同行，这是风水先生的无耻。

不可信之师，勿以私情荐之，
使人托以子弟。
不可信之医，勿以私情荐之，
使人托以生命。
不可信之堪舆，勿以私情荐之，
使人托以先骸。
不可信之女子，勿以私情媒之，
使人托以宗嗣。

[原注]
此数者，人生极坏阴德。不可不戒者也！

[译文]
对于自己不了解的教师，千万不要凭着私人感情加以推荐，让人把子弟托付给他。对于自己不了解的医生，千万不要凭着私人感情加以推荐，让人把生命托付给他。对于不可信任的风水先生，千万不能凭着私人感情加以推荐，让人把先人的尸骨托付给他。对于不可信任的女子，不要凭着私人感情替她作媒，让人把繁衍宗嗣的重任托付给她。

肆傲者纳侮，讳过者长恶。
贪利者害己，纵欲者戕生。

[原注]
古诗云："虎尾春冰寄此生。"君子以为虎尾春冰者，小人以为大欲存焉。

悖凶类　243

此所以君子小人不容并立，而修吉悖凶甚悬殊也。

[译文]

傲慢放肆的人招致侮辱，粉饰过失的人助长恶习。贪图财利的人危害自己，放纵欲望的人戕害生命。

鱼吞饵，蛾扑火，未得而先丧其身。
猩醉醴，蚊饱血，已得而随亡其躯。
鹚食鱼，蜂酿蜜，虽得而不享其利。
欲不除，似蛾扑灯，焚身乃止。
贪不了，如猩嗜酒，鞭血方休。

[原注]

世之皇皇求利者，大率类此。

[译文]

游鱼吞食钩饵，飞蛾扑向灯火，二者都是没有得到任何好处却先断送了自己性命；猩猩喝醉了酒，蚊子吃饱了血，二者都是已经得到了好处但却立即丧失了自己的性命；鱼鹰捉鱼，蜜蜂酿蜜，虽然有所收益，但是不去享受自己的成果。不消除欲望，就像飞蛾扑火，直到烧毁了身躯才肯罢休。贪婪而不知足，如同猩猩喜欢喝酒一样，直到被鞭打得浑身流血才肯停止。

明星朗月，何处不可翱翔？
而飞蛾独趋灯焰。
嘉卉清泉，何物不可饮啄？
而蝇蚊争嗜腥膻。

[译文]

无垠的天空星明月朗，什么地方不可以飞翔？然而飞蛾却要扑向灯火，烧死自己；美好的大地处处有香草清泉，什么东西不能吃喝？可是苍蝇、蚊子偏要追腥逐臭，不惜丢掉自己性命。

飞蛾死于明火，故有奇智者，必有奇殃；
游鱼死于芳纶，故有善嗜者，必有美毒。

[原注]

非分之福，无故获之，非造物钓饵，即人世机阱；切须当下猛省，斩灭痴肠。

[译文]

飞蛾由于受明亮火光的诱惑而死，因此特别聪明的人，必定有特别的灾殃；游鱼受芳香的垂纶的诱惑而死，因此有特别嗜好的人，必然会有美丽的毒饵引诱。

慨夏畦之劳劳，秋毫无补；
笑冬烘之贸贸，春梦方回。

[译文]

常常为酷夏种田劳苦，秋天没有收成而感慨；常常为迂腐之人的目光短浅而发笑，他们只有如春梦般醒过以后才能回到现实。

吉人无论处世平和，即梦寐神魂，
无非生意；
凶人不但做事乖戾，即声音笑貌，
浑是杀机。

[译文]

善良的人不但处世平和，即使睡梦中的灵魂，也充满着盎然生意；凶恶的人不但做事乖戾而不近情理，即使声音笑貌，亦全是充满着令人生怖的杀机。

仁人心地宽舒，事事有宽舒气象，
故福集而庆①长；
鄙夫胸怀苛刻，事事以苛刻为能，
故禄薄而泽短。

[注释]

①庆：福。《易·履》："大有庆也。"

[译文]

有仁义之心的人胸襟开阔，宽广平和，事事表现出他们的宏大气度，因此福泽在他们身上聚集而且久长；鄙俗的人心胸狭窄，待人苛刻，事事以苛刻为能事，因此福泽浅薄而又短暂。

充一个公己公人心，便是吴越一家；
任一个自私自利心，便是父子仇雠。

[原注]

程子云：人能将一个身子，公共放在天地万物中一般看，则有甚妨碍？天下兴亡，国家治乱，万姓死生，只争这个些子。

[译文]

如果人人心中都充满一个对人对己的公心，即便是吴国和越国这样的敌国也会变得亲如一家；如果人人都怀着一颗自私自利的心，即便是父亲和儿子也会变为仇敌。

理以心为用，心死于欲则理灭，
如根株斩而本亦坏也；
心以理为本，理被欲害则心亡，
如水泉竭而河亦干也。

[译文]

天理为人心所用，如果人心死于欲望，那么天理也就被毁灭了，就像树根被斩断树干必然枯死是一样的道理。人心以天理为根本，如果天理为欲望所害，那么人心也就死亡了，就像水源枯竭河流也会干涸是一样的道理。

鱼与水相合，不可离也，离水则鱼槁矣。
形与气相合，不可离也，离气则形坏矣。
心与理相合，不可离也，离理则心死矣。

[原注]

先哲云：哀莫哀于心死，而身死次之。学者须时时唤令此心不死也。昧理者心先死，唤醒则心生。

陈白沙《禽兽理》云：人具七尺之躯，除了此心此理，便无可贵。浑是一包脓血裹一大块骨头，饥能食，渴能饮，能著衣服，能行淫欲，贫贱而思富贵，富贵而贪权势，忿而争，忧而悲，穷则滥，乐则淫，凡有所为，一任气血，老死而后已，则命之曰禽兽可也。

[译文]

鱼要生活，必须和水结合，一旦离开了水，那么它马上就会干死；形体想活，必须和元气相结合，一旦离开了气，则形体就会马上坏死；人心和天理相结合，二者不可分离，一旦离开了天理，人心也将马上死去。

天理是清虚之物，清虚则灵，灵则活；
人欲是渣滓之物，渣滓则蠢，蠢则死。

[原注]

天地常活，无欲故也。人物常死，有欲故也。天理是本心固有之至善，生之道也，而人弃之。人欲是形气所生之邪秽，死之途也，而人贪之，是惑也。

[译文]

天理是清洁空虚的东西，清虚的天理就神灵，神灵的天理就能长存。人欲是渣滓，渣滓的人欲使人愚蠢，愚蠢就会使人的生命白白丧失。

毋以嗜欲杀身，毋以货财杀子孙，
毋以政事杀百姓，毋以学术杀天下后世。

[译文]

不要因放纵嗜欲而伤害自己身体，不要因为钱财而伤害子孙，不要因为政事而伤害百姓，不要利用学术来伤害天下后世。

毋执去来之势而救权，
毋固得丧之位而为宠，
毋恃聚散之财而为利，
毋认离合之形而为我。

[原注]

《谈古录》云：离娄不见舆薪，师旷不闻霹雳，仪、秦不能吐一词，贲、育不能举一羽，人谓必无是事，岂知终有是时！到此时候，何智何愚？何勇何怯？惟留贤奸邪正之名，以挂人齿颊而已。人能抬头将命字一想，兜底将死字一算，放眼将人世穷通得丧一看，吁！亦可掉下机心，撇开妄念矣。昔史弥远死而复苏，作诗引咎云："早知泡影须臾事，悔把恩仇抵死分。"殊堪猛省。古人称不朽者三，曰立德、立功、立言。自此之外，皆如浮云幻影，瞬息眼前，鲜有能长存者。周之九鼎，秦之传国玺，以王家之重器，犹不能历久以递传，又何论篱落间之琐琐者耶？噫！世之为千载之图，身后之计者，当知所尚矣。

[译文]

不要依据瞬息变化存亡不定的形势去救助一种胜券未操的权力；不要固守得失不定的官位争夺恩宠；不要依靠聚散不定的财货去图谋私利；不要认定离合无时的形体就是自我。

贪了世味的滋益，必招性分的损；
讨了人事的便宜，必吃天道的亏。

[原注]

是是非非地，明明白白天。

[译文]

为满足私欲而贪图世间好处，必定会招致心灵的损伤；表面上看是占了人家的一点便宜，实际上却吃了天理的大亏。

精工言语，于行事毫不相干；
照管皮毛，与性灵有何关涉！

[译文]

只管在言辞上下工夫而不付诸行动，那么就和成就大事毫不相干。只管在皮毛小事上做表面文章，那么就和陶冶性灵修养品德没有什么关系！

荆棘满野，而望收嘉禾者愚；
私念满胸，而欲求福应者悖。

[译文]

田地里长满荆棘不去耕耘，而却日夜盼望着有一个好收成，这是愚蠢的幻想；满胸装的全是私欲，却打算祈求上天降给他福祉，那是根本不可能的。

庄敬非但日强也，
凝心静气，觉分阴寸晷，
倍自舒长；
安肆非但日偷也，
意纵神驰，虽累月经年，

亦形迅驶。

[译文]

端庄恭敬的人,不但每天自强不息,专心致志,即使是片刻,也会当做经年累月去珍惜;而追求逸乐放纵自己的人,不但每天得过且过,胡思乱想,即使经年累月,也像是白驹过隙那样迅疾度过。

自家过恶自家省,
待祸败时,省已迟矣;
自家病痛自家医,
待死亡时,医已晚矣。

[译文]

自己的过失错误自己应该及时认真反省,一旦等到灾难临头,败局已定时,再反省自己已经来不及了;自己身上的疾病应当自己及时诊治,等到死亡来临的时候,再去寻医问药已经太迟了。

多事为读书第一病。
多欲为养生第一病。
多言为涉世第一病。
多智为立心第一病。
多费为作家第一病。

[译文]

读书的第一个毛病是杂事多。养生的第一个毛病是欲望多。涉世的第一个毛病是言语多。立德的第一个毛病是智谋多。持家的第一个毛病是费用多。

今之用人,只怕无去处,

不知其病根在来处；

今之理财，只怕无来处，

不知其病根在去处。

[原注]

陈榕门云：人之来处有二，所以教之，所以取之是也。财之去处惟一，所以用之是也。

[译文]

现在用人，只怕找不到合适的位置，其实毛病在于当初是怎样培养和选拔人才的；现在理财，只怕财源匮乏入不敷出，其实关键在于开支是否合理。

贫不足羞，可羞是贫而无志。

贱不足恶，可恶是贱而无能。

老不足叹，可叹是老而无成。

死不足悲，可悲是死而无补。

[原注]

陈榕门云：人生在世，无时无地，不有当尽之道。

[译文]

贫穷没有什么可以羞愧的地方，应该羞愧的是贫穷而胸无大志。地位低下不值得憎恶，值得憎恶的是地位低下而没有改变的能力。年老并不值得惋惜，值得惋惜的是年老却一事无成。死亡并不值得悲哀，值得悲哀的是死后没有给人世留下什么裨益。

事到全美处，怨我者难开指摘之端；

行到至污处，爱我者莫施掩护之法。

[译文]

事业达到完美境界，即使恨我的人也难以找到指责我的理由；

行为到了污秽不堪的地方，即使爱我的人也没法施展掩护的办法。

衣垢不澣，器缺不补，对人犹有惭色；
行垢不澣，德缺不补，对天岂无愧心。

[译文]

衣裳脏了不洗，器具坏了不补，面对别人尚有惭愧之色；而行为污秽不知洗刷，道德败坏不知补救，面对苍天难道没有悔恨的情绪吗？

供人欣赏，侪风月于烟花，是曰亵天；
逗我机锋，借诗书以戏谑，是名侮圣。

[原注]

风流罪过，贤者不免，吾辈所宜深戒。

[译文]

借风花雪月吟咏风流韵事供人欣赏，这叫亵渎上天。利用诗词书文开玩笑以炫耀口才，这叫侮辱圣贤。

罪莫大于亵天，恶莫大于无耻，
过莫大于多言。

[译文]

世界上最大的罪过就是亵渎上天，最大的丑恶就是没有廉耻，最大的过失就是多言。

言语之恶，莫大于造诬。
行事之恶，莫大于苛刻。
心术之恶，莫大于深险。

[译文]

言语中最大的危害，没有比造谣诬陷更大的了；处理事情的最大危害，没有比严苛刻薄更严重的了；心术不正最大的危害，没有比阴险叵测更狠毒的了。

谈人之善，泽于膏沐①；
暴人之恶，痛于戈矛。

[原注]

吕新吾云：闻人之善而掩覆之，或文致以诬其心；闻人之恶而播扬之，或枝叶以多其罪。此皆得罪于鬼神者也。吾党戒之。闻善则疑，闻恶则信，其人生平，必有恶而无善。

[注释]

①膏沐：妇女用来润发的东西。《诗经·卫风·伯兮》："自伯之东，首如飞蓬，岂无膏沐，谁适为容。"

[译文]

称赞别人的善行，被称赞人脸上的光彩比膏沐还要明亮；暴露他人的短处，被暴露人所受的痛苦比戈矛的砍刺还要厉害。

当厄之施，甘为时雨；
伤心之语，毒于阴冰①。

[注释]

①毒：阴毒，即使人心寒。阴通"窨"，即冰窖。

[译文]

当人有急难时而得到帮助，就会像干旱时的及时雨那样甘甜；伤害别人心灵的话语，却比冰窖里的冰还要让人心寒。

阴恶积雨之险奇，可以想为文境，

不可设为心境；

华林映日之绮丽，可以假为文情，

不可依为世情。

[译文]

阴雨连绵的险奇景象，可以想象为文章的意境，但不能把它设想为心境；绮丽的山林映日景象，可以借为文章抒发的情感，但不能把它作为世上人间的真情一样看待。

巢父洗耳①以鸣高，予以为耳其窍也，

其言已入于心矣，当剖心而浣之；

陈仲出哇②以示洁，予以为哇其滓也，

其味已入于肠矣，当刲③肠而涤之。

[注释]

①巢父洗耳：巢父乃陶唐时高士。隐居于嵩山，以树为巢，而寝其上，故号巢父。帝尧以天下让之，不受。尧又让许由，许由亦不受，隐耕于嵩山之下，颍水之阳。尧又欲召为九州长，由不欲闻，洗耳于颍水之滨。洗耳是许由而不是巢父。作者或误记，或粗疏造成。②陈仲出哇：陈仲，即陈仲子，乃齐国廉士。不食兄之禄，不居兄之室。有馈其兄生鹅者，其母杀之与之食。仲子知是鹅肉，出而哇之。③刲（kuī）：割。

[译文]

巢父洗耳朵以示清高，但我以为耳朵只是头部的一个洞，听到的话已经进入心中了，应当把心剖开才能洗净；陈仲吐出鹅肉以示廉洁，但我以为吐出的只是渣滓，味道已经进入肠子里了，应把肠子割开才能洗净。

诋①缁黄②之背本宗，或衿③带坏圣贤名教；

詈青紫④之忘故友，乃衡茅⑤伤骨肉天伦。

[原注]

发人深省。

[注释]

①诋：诋毁。②缁(zī)黄：指僧人或道士。因僧人穿黑色衣服，道士穿黄色衣服。缁，黑色。③衿：衣裳的带子。④青紫：古代官员的代称。《汉书·夏侯胜传》："胜每讲授，常谓诸生曰：'士病不明经术，经术苟明，其取青紫，如俯拾地芥耳。'"⑤衡茅：意为衡门茅屋，形容所居房屋的简陋。

[译文]

诋毁僧人道士背叛自己的宗族，就像文人败坏圣贤的教化一样；辱骂当官的人忘记了亲人故友，就像隐居的人伤害了骨肉亲情一样。

炎凉之态，富贵甚于贫贱；
嫉妒之心，骨肉甚于外人。

[译文]

世态的炎凉，富贵人家比贫贱人家更加厉害；人心的嫉妒，骨肉亲情之间比起外人更加严重。

兄弟争财，父遗不尽不止；
妻妾争宠，夫命不死不休。
受连城①而代死，贪者不为，
然死利者何须连城？
携倾国②以告殂，淫者不敢，
然死色者何须倾国。

[注释]

①连城：乃"连城之璧"或"连城璧"的省称，形容价值极高的宝物。②倾国：此指美人。《汉书·外戚传》："北方有佳人，绝世而独立。一顾倾人

城，再顾倾人国。"后用倾国倾城比喻绝色佳人。

[译文]

兄弟争夺财产，不到把父亲遗产分尽的时候不会停止；妻妾争宠，不到丈夫死亡的时候不会罢休；接受价值连城的宝物让他去代死，即使一个贪婪成性的人也不会同意，然而为利而死的人又何必要价值连城之宝？携带美人一块赴死，即使好色之人也不愿意，然而为美色而死的人又何必要倾国之色？

乌获①病危，虽童子制梃可挞；
王嫱②臭腐，惟狐狸钻穴相窥。

[原注]

静念及此，味如雪淡，兴若冰消。

[注释]

①乌获：古代大力士。《孟子·告子》："今日举百钧，则为有力人矣；然则举乌获之任，是亦为乌获而已矣。"②王嫱：汉元帝宫女。称归人，字昭君。

[译文]

大力士乌获病重的时候，连小孩子也敢用棍子打他；美女王昭君尸体腐烂发臭的时候，恐怕只有狐狸会钻穴窥视。

圣人悲时悯俗，贤人痛世疾俗，
众人混世逐俗，小人败常乱俗。

[原注]

呜呼！小人坏之，众人从之。虽悯虽疾，竟无益矣。故圣贤在位，则移风易俗。陈榕门云：先有一段悲悯痛疾之心胸，而后有一番移风易俗之事业。徒然愤世疾俗以为高，与世诚无益也。

[译文]

圣人对世俗悲悯，贤人对世俗痛心疾首。众人混日子追逐世俗，小人对世俗败坏扰乱。

读书为身上之用，而人以为纸上之用；
做官乃造福之地，而人以为享福之地。
壮年正勤学之日，而人以为养安之日；
科第本消退之根，而人以为长进之根。

[原注]

高忠宪公云：圣贤之书，不是教人专学作文字，求取富贵，乃是教天下万世做人的方法。今人都不曾依那书做得一句，所以读底是古人书，做底是俗人事，诚所谓书自书，我自我，与不学者何以异。今之居官者，不但为自己享福计，且为子孙享福计；百计搜索横财，以供享福之用。噫！误矣。上天生尔，为造福之人，今反为造殃之人，清夜自思，上天其肯宽宥乎？造福享福二念，居官者人鬼关头。

杨道渊云：而今学者通病，当失意时，便奋发曰：到家却要如何，及奋发数日渐倦息，或应酬别事，则曰：且歇下一时，明日再做。且歇二字，遂循环过了一生；士君子进德修业，皆为且歇二字所牵缚，白首竟成浩叹。果能一旦奋发有为，鼓舞不倦，除却进德，是毙而后已。若论其余事业，不过五年七年，无不成就之理。莲之始开也，至暮则复合，至不能合则落矣。人家富贵，须如莲之始开，使常有收敛意，自可耐久。若一开不可复合，吾惧其落之不远也。

邵康节云：牡丹含蕊为盛，烂漫为衰。盖日午则昃，月盈则亏，月盈日午，有道之士所不处焉。杨石斋廷和当国时，弟为卿者一，任方面者二，诸子侄又数人，皆通显，子慎，复成进士第一，贺者填委，公独频蹙不欢。或问故，公曰：君知傀儡场乎？方奏技时，次第陈举，曲终而傀儡尽出，人家气数有限，尽泄不宜，吾恐今是曲终时也。未几，以议大礼不合，公罢相归，慎戍滇金事，恂以杀人抵大辟，人始服公之先见。

[译文]

读书应当身体力行，而现在的人们却认为读书只是纸上的文字功夫。做官本来是为百姓造福的良好时机，而现在的人们却认为是享福，是谋取私利的手段。壮年时候正是勤奋学习的岁月，而现在的人们却认为是养生安逸的好时机。科举中第本是谦让的时机，而现在的人们却认为金榜题名正是追名逐利的根基。

盛者衰之始，福者祸之基。
福莫大于无祸，祸莫大于邀福。

[译文]

事物兴盛到了极点就是它衰败的开始，福祉乃是灾祸的源头。没有灾祸就是最大的幸福，不择手段地求福就是最大的灾祸。

图书在版编目(CIP)数据

格言联璧/(清)金缨编;张英华注译. —郑州:中州古籍出版社,2010.1(2014.5重印)
(国学经典)
ISBN 978-7-5348-3301-4

Ⅰ.①格… Ⅱ.①金… ②张… Ⅲ.①格言-汇编-中国-古代Ⅳ.①H136.3

中国版本图书馆 CIP 数据核字(2010)第 014451 号

出版社:中州古籍出版社
（地址:郑州市经五路66号　邮政编码:450002）
发行单位:新华书店
承印单位:辉县市伟业印务有限公司
开本:640mm×960mm　　1/16　　印张:16.5
字数:200千字　　　　　　　　印数:15 001—20 000 册
版次:2010 年 1 月第 1 版　　印次:2014 年 5 月第 4 次印刷

定价:22.00 元

本书如有印装质量问题,由承印厂负责调换。